O PODER DAS CORES

Marcelo U. Syring

O PODER DAS CORES

UM GUIA PRÁTICO DE CROMOTERAPIA PARA MUDAR A SUA VIDA

Nova Petrópolis/RS - 2022

Capa e projeto gráfico:
Gabriela Guenther

Revisão:
Alessandra Angelo

Edição:
Luana Aquino

Dados Internacionais de Catalogação na Publicação (CIP)

S995p   Syring, Marcelo U.
   O poder das cores : um guia prático de cromoterapia para mudar a sua vida / Marcelo U. Syring. – Nova Petrópolis : Luz da Serra, 2020.
   168 p. ; 23 cm.

   Inclui bibliografia.
   ISBN 978-85-64463-80-6

   1. Cromoterapia. 2. Autoajuda. 3. Cor - Uso terapêutico. 4. Autoconhecimento. 5. Transformação pessoal. I. Título.

   CDU 615.85:535.6

Índices para catálogo sistemático:
   1. Cromoterapia   615.85:535.6

(Bibliotecária responsável: Sabrina Leal Araujo – CRB 8/10213)

Todos os direitos reservados. Nenhuma parte desta obra pode ser reproduzida ou transmitida por qualquer forma e/ou quaisquer meios (eletrônico ou mecânico, incluindo fotocópia e gravação) ou arquivada em qualquer sistema ou banco de dados sem permissão escrita da Editora.

Luz da Serra Editora Ltda.
Avenida 15 de Novembro, 785 – Centro
Nova Petrópolis / RS – CEP 95150-000
www.luzdaserra.com.br / www.luzdaserraeditora.com.br
Fone: (54) 3281.4399 / (54) 99113-7657
loja@luzdaserra.com.br

DEDICATÓRIA

Dedico esta obra ao meu pai (Seu Bira) e a minha mãe (Dona Penha – que já está no mundo espiritual), que sempre foram minha fonte de inspiração, de superação e de força espiritual.

AGRADECIMENTOS

Quero agradecer a todos aqueles que fizeram e ainda fazem parte da minha jornada, principalmente amigos, parceiros, professores, alunos, familiares, que me ensinaram muito e contribuíram para que eu me tornasse o que sou hoje.

Em especial, a minha esposa Carmen, pela sua parceria, dedicação e amorosidade.

SUMÁRIO

1. INTRODUÇÃO, DEFINIÇÃO E HISTÓRIA 11
2. A NATUREZA DA LUZ 21
3. AS CORES E SUAS FUNÇÕES 29
4. OUTRAS CORES 55
5. AS CORES E O AUTOCONHECIMENTO 65
6. AS CORES E A ESPIRITUALIDADE 77
7. AS CORES E OS ALIMENTOS 97
8. AS CORES E OS CRISTAIS 103
9. AS CORES E O VESTUÁRIO 109
10. AS CORES E O AMBIENTE 117
11. FORMAS DE APLICAÇÃO (COMO USAR) 129
12. PRÁTICAS COM AS CORES 143
13. CONCLUSÃO 155
REFERÊNCIAS 163

O ARCO-ÍRIS

O arco-íris
que brota do chão
sete cores o enfeitam
parece pintado à mão.

O arco-íris
será um dia
um grande escorregador
de alegria.

O arco-íris
não há mais nada a dizer
além de um sonho
o que mais pode ser!

Clarice Pacheco

INTRODUÇÃO, DEFINIÇÃO E HISTÓRIA

INTRODUÇÃO

Seria possível vivermos num mundo totalmente sem cor e sem luz? Provavelmente não. O Universo é glorioso suficientemente para nos proporcionar essa beleza chamada vida, por meio das diversas formatações de cores existentes em todo o cosmo.

Nosso planeta é pura cor; a fauna e a flora são coloridas, ou seja, as cores sempre fizeram, e farão, parte da nossa existência. Elas são, de certa forma, uma expressão forte e vivente, através da luz provida de estrelas e sóis, onde percebemos claramente de que o colorido nos promove diversos estímulos, como, por exemplo, alegria, tranquilidade e consciência.

"AS CORES QUE BANHAM O UNIVERSO SÃO AS QUE DÃO SENTIDO À NOSSA EXISTÊNCIA, NOS FAZENDO PERTENCER AO TODO."

Marcelo U. Syring

Baseado nisso, percebe-se que as cores possuem, além de uma beleza inata, propriedades terapêuticas que contribuem com o nosso equilíbrio físico, mental, energético, emocional e espiritual.

O propósito deste livro não é apenas ensinar sobre cores e seus significados, mas, principalmente, ajudar você a usá-las de forma a poder encontrar seu propósito de vida; suas forças e virtudes; sua cura e equilíbrio; seu caminho de alma. Além disso, esta obra vai fazer você mergulhar num processo de autoconhecimento e autodesenvolvimento, porque, se quer realmente algum resultado positivo na vida, é necessário sair de onde está.

Um dos pontos que considero fundamental para dar o primeiro passo é estar inconformado com sua vida atual, com o momento no qual se encontra na sua vida. Sempre digo que todo mundo quer a felicidade, mas o que você está fazendo neste momento para alcançá-la, para tê-la no seu dia a dia, para torná-la mais leve e agradável?

Agora é o momento de descobrir sobre o Universo das cores e seus mistérios, além de entender como pode usar todos os seus truques para mudar sua vida. Vamos em frente?

DEFINIÇÃO

Cor é uma percepção, uma informação sensorial que todos nós temos sobre determinada forma, objeto ou algo que está em nosso campo de visão. A partir disso, nossos olhos captam a imagem através de células neurais do globo ocular (chamadas de cones e bastonetes), que convertem essa imagem em informação, enviando-a para nosso sistema nervoso central, que, consequentemente, traduz tal informação como "cor", devido à sua frequência de luz e à percepção da pigmentação encontrada naquela imagem.

É importante ressaltar que, para que este fenômeno ocorra, é importante a presença da luz, pois, na escuridão, não é possível ter essa percepção. Outra definição que pode ser acrescentada aqui é a de que a cor surge por meio do que podemos chamar de "fenômeno cromático", que é decorrente da inter-relação entre a luz e a escuridão. No meio dessas duas polaridades, elas manifestam, ficando perceptíveis. Há ainda um outro aspecto relevante para a definição deste universo, que é a que encontramos na cromoterapia, isto é, uma técnica que utiliza as cores do espectro solar com finalidade terapêutica.

A palavra *cromo* significa "**cor**", enquanto *terapia* significa "**tratamento**". As cores, através da cromoterapia, nos ajudam a compreender a atuação característica que cada uma tem sobre nós, provocando sensações, reações e comportamentos, mesmo em pessoas diferentes, porém com sensações similares, quando estamos sob a influência de determinada cor.

A cromoterapia está na nossa vida em várias circunstâncias: no lar, nas empresas, nas roupas, em vários segmentos da Medicina, da indústria, da ciência etc.

HISTÓRIA

Quando se analisa a história da humanidade, percebe-se que a influência das cores em relação aos povos antigos é muito grande. Não há, claramente, uma ideia de onde surgiu exatamente a prática de utilização para ajudar alguém através das cores, mas um indicativo de que o início foi no antigo Egito. Nesta época, existiam salas de curas individuais, cada uma com uma abertura para entrada do raio solar e uma cor específica. Com isso, pessoas com algum tipo de enfermidade passavam por um "diagnóstico da cor", sendo posteriormente direcionadas para a sala correspondente.

Outros países, como China e Índia, têm indícios do uso das cores para auxílio na cura de determinadas doenças, sejam com as cores em si, em forma de pigmentos, ou até com o uso de cristais coloridos.

Embora o seu uso fosse mais na forma de pigmento e cristais, no último milênio, surgiram pesquisadores importantes que passaram a se interessar pelas cores oriundas da luz natural, como, por exemplo, Isaac Newton. Seu interesse foi devido às pesquisas iniciadas pelo francês René Descartes, que realizava experiências com a luz branca, ou a luz solar. Por sua vez, Newton deu continuidade ao trabalho de Descartes, e conseguiu, por meio do raio branco oriundo do sol, e da utilização de um prisma, demonstrar que a luz branca, na verdade, é a base para a percepção da coloração do espectro solar, ou espectro de cores visíveis, ou seja, o arco-íris que nós conhecemos.

Posteriormente, surgiu um trabalho literário interessante, chamado "Teoria das Cores", de Goethe, no qual ele demonstra a constituição das cores e os efeitos que elas provocam nas pessoas. Um dos impulsos deste trabalho se deve à sua paixão pelas cores e o seu interesse pelas pinturas da sua época.

No decorrer dos anos, médicos e pesquisadores começaram a se interessar pela natureza das cores e seus recursos terapêuticos, como, por exemplo, o Dr. Seth Pancoast e o Dr. Edwin Babitt. Este último, utilizava as cores primárias (vermelho, amarelo e azul). Um dos seus experimentos era baseado na aplicação das cores em doentes mentais. Dessa forma, ele percebeu que a cor vermelha, por exemplo, provocava estímulos de violência nos pacientes, enquanto a azul estimulava a calma e a tranquilidade.

Por volta da década de 1930, o americano de origem indiana, Dinshah P. Ghadiali, trouxe inúmeras contribuições para a cromoterapia. Existe uma controvérsia em relação à sua formação em Medicina. Apesar de muitos não apontarem Ghadiali como médico, ele teve reconhecimento por suas pesquisas e estudos relacionados à terapêutica das cores, sendo não apenas um dos primeiros a focar a utilização das cores para tratamentos de saúde, mas talvez o mais conhecido pelos resultados e outras pesquisas da área. Profundo conhecedor de matemática, eletricidade, química e física, conseguiu, através de uma abordagem científica, formular a aplicação da colorimetria no corpo humano.

Apesar de não ter seu trabalho comprovado pela ciência atual, inúmeros adeptos, incluindo médicos, terapeutas, pesquisadores, entre outros, continuaram a consultar seus trabalhos, pesquisando e mostrando os benefícios que as cores trazem em diversas situações.

Atualmente, há muitos tratamentos medicinais que utilizam a luz em pacientes neonatais. **A luz azul**, por exemplo, é usada em bebês prematuros com icterícia, pois elimina a *bilirrubina,* que fica armazenada no corpo do bebê em razão de fígado imaturo; a **luz ultravioleta** é empregada nos problemas na pele (acne e psoríase); a **luz infravermelha** ajuda a promover analgesia superficial nos tratamentos de fisioterapia. Outra fonte de utilização da radiação infravermelha é em satélites espaciais, para detecção de corpos celestes que são localizados somente devido a esse recurso.

Cabe ressaltar que o ultravioleta e infravermelho não são consideradas cores, mas em estudos de raios e suas propriedades, ambos estão próximos do espectro visível aos nossos olhos. Mais adiante, iremos abordar melhor esses dois tipos de raio.

Portanto, é possível perceber que a utilização não só das cores em forma de luz tem sido objeto de estudo em muitas áreas, mas também uma determinada gama do espectro eletromagnético - na qual as cores fazem parte - tem sido aplicado em muitas outras áreas, nos trazendo muitas facilidades e possibilidades no nosso dia a dia.

A NATUREZA DA LUZ

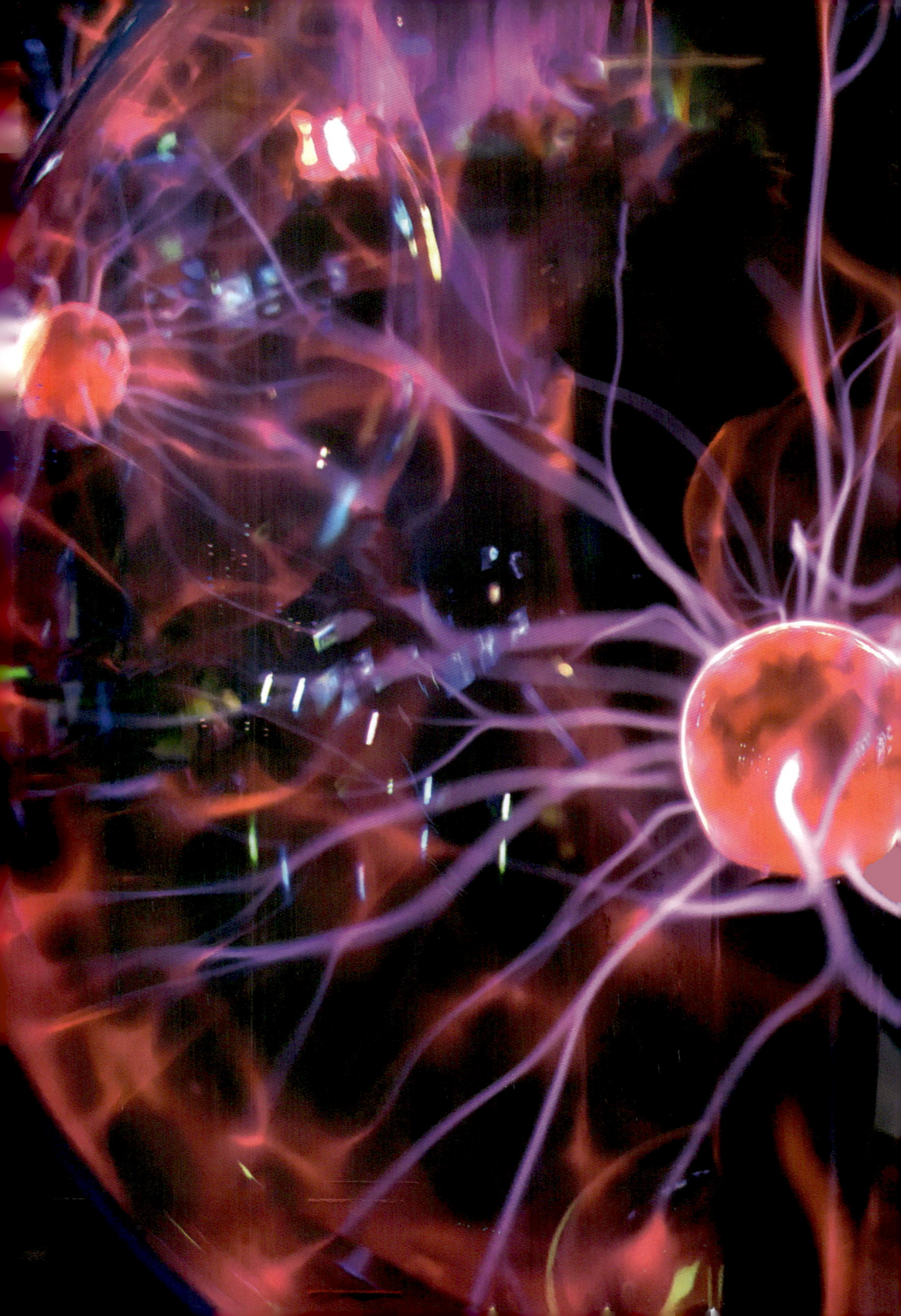

ENERGIA ELETROMAGNÉTICA

A origem da luz é solar e o espectro magnético completo é composto de, aproximadamente, 60 ou 70 oitavas de vibração. Essa energia eletromagnética vai dos comprimentos de ondas mais longas (como as ondas de rádio) aos mais curtos (como os raios cósmicos). As medições dos raios podem ser feitas por metros, nanômetros ou ainda por *Angström* (um décimo milionésimo de milímetro). É importante entendermos que, quanto maior for a frequência do raio, menor é seu comprimento de onda.

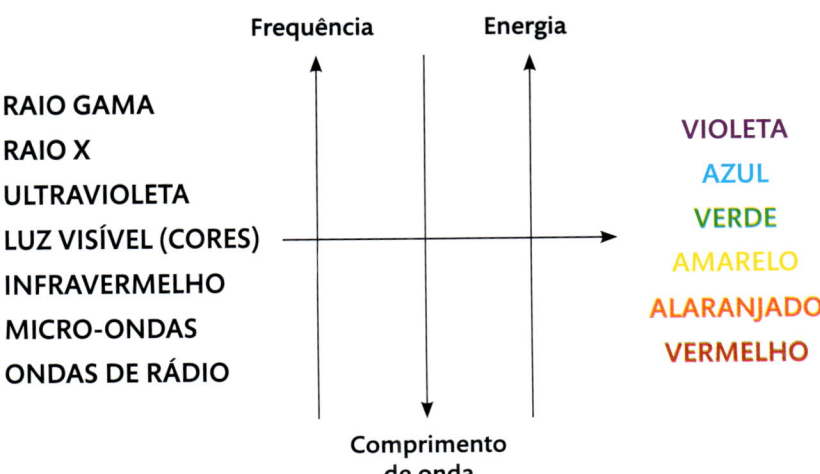

Todos esses parâmetros encontrados na ciência, em relação aos raios eletromagnéticos, nos transmite um entendimento de que determinada cor possui características específicas sobre o seu comprimento de onda e frequência, proporcionando sensações das mais diversas. Assim, sabemos que, ao utilizar um raio de cor específica, ele vai agir de maneira física, que pode ser sentida ou não, dependendo da sensibilidade de cada pessoa. Independentemente das sensações, as cores irão promover seus efeitos nos tecidos corporais, no nosso campo eletromagnético, proporcionando os resultados desejados.

ESPECTRO ELETROMAGNÉTICO

É a disposição das ondas eletromagnéticas existentes, sendo elas visíveis ou não ao olho humano; são percebidas de acordo com a frequência e comprimento de onda, característico de cada raio. A gama visível para nós, que é justamente a luz branca, trata-se de uma pequena parte desse espectro eletromagnético.

Nossos olhos possuem terminações nervosas sensíveis a determinada gama de comprimento de onda. O espectro solar é facilmente visualizado em suas cores por causa do arco-íris, sendo possível observá-lo por meio das gotículas de água que ficam suspensas no ar, funcionando, assim, como microprismas que fracionam as cores e promovem um espetáculo no céu. A seguir, podemos perceber como é essa pequena parte do espectro, e as cores perceptíveis a nós:

ESPECTRO VISÍVEL AO HOMEM

Ultravioleta ← | 400 nm | 450 nm | 500 nm | 550 nm | 600 nm | 650 nm | 700 nm | 750 nm → Infravermelho

nm - Nanometro (unidade de medida)

AS CORES E A NEUROCIÊNCIA

A neurociência é um ramo da ciência ou conjunto de conhecimentos que se refere ao sistema nervoso. É por meio dessa área que detalhamos o caminho que determinada cor faz em nós, num aspecto mais biológico e orgânico, do ponto de vista científico. Uma vez que vemos uma cor, essa informação é percebida por células em nossos olhos, chamadas de "cones". Tais células fotorreceptoras captam essa informação e ativam nossos neurônios, enviando esses dados ao cérebro, no qual teremos a ideia da cor e, automaticamente, uma resposta emocional ao que vimos, nos movendo a determinadas ações e comportamentos.

> "O QUE SABEMOS É UMA GOTA;
> O QUE IGNORAMOS
> É UM OCEANO".
>
> Isaac Newton

Conseguimos diferenciar as cores da seguinte maneira: quando a luz branca reflete sobre algo que tem a sua cor, ela é absorvida; já a cor que não é absorvida, é aquela que nós vemos.

A luz branca é o conjunto de todas as cores. Quando determinada gama de cor é refletida, é aquela que enxergamos. Isso explica que, na verdade, só é possível identificar uma cor baseando-se em duas situações: luminosidade e percepção. Uma vez que se tem esses dois elementos, fica mais fácil de reconhecer e diferenciar uma cor da outra.

INFRAVERMELHO E ULTRAVIOLETA

Estes dois raios se encontram nas extremidades do conjunto de cores do espectro solar. O infravermelho antecede o raio vermelho, e o ultravioleta vem logo após o raio violeta. Como descrito anteriormente, esses dois tipos de raios são muito utilizados em vários ramos industriais, para as mais diversas finalidades.

O infravermelho é empregado para aquecer ambientes, cozinhar alimentos e secar tinturas. Além disso, essa radiação é utilizada no campo da Medicina, de modo terapêutico, como, por exemplo, para melhorar o aporte sanguíneo em uma determinada área do corpo, aliviar dores traumáticas e reumáticas.

A radiação ultravioleta é empregada também no ramo da Medicina, porém com certa precaução e cuidado, pois é extremamente forte. É benéfico para todos os seres, porém nocivo, quando ocorre alguma situação onde se excedeu o tempo de exposição, causando queimaduras, câncer, envelhecimento, rugas etc.

AS CORES E SUAS FUNÇÕES

Nos capítulos anteriores, entendemos que as cores estão em forma de pigmento e luz, sendo este último, objeto de estudo científico para entender que determinada gama de raio pode ser usada de várias formas, no nosso dia a dia. Compreendemos também que, ao observá-las na forma de pigmentos, conforme o trabalho de análise de Goethe, cada uma vai promover estímulos que podem ser benéficos em vários aspectos. Sendo assim, cada pessoa exposta a determinada cor vai agir e se comportar de acordo com ela.

Por exemplo: **uma pessoa que precisa estudar para passar em um concurso, e não consegue se concentrar**, pode usar o **amarelo**. Assim, irá conseguir o estímulo necessário para alcançar o objetivo; **uma pessoa estressada e que precisa relaxar e se acalmar**, pode usar o **azul** para essa finalidade.

Agora, vamos analisar as cores e seus significados, começando pela coloração do espectro solar:

VERMELHO

É a cor que fica próxima ao infravermelho, e ainda a mais quente do espectro solar. Traz força e vigor. Trata-se da cor do coração, do sangue, dos músculos e da medula óssea. O vermelho é agressivo e cansa de forma rápida, pois satura bastante. Está relacionado ao chacra básico, na base da coluna vertebral. As principais características do vermelho são ação, motivação, estímulo, vitalidade, profundidade, intensidade, paixão, raiva, ódio, luxúria, agressividade e agitação.

 FÍSICO: acelera a circulação sanguínea e os batimentos cardíacos, aumentando o calor do corpo; ainda, promove a liberação de adrenalina. O vermelho é favorável para a reconstrução de tecidos, melhorando o aporte sanguíneo, na região afetada.

 BENEFÍCIOS: anemia e deficiência de ferro, além de estimular a produção de glóbulos vermelhos. Aumenta a pressão arterial, acelera a frequência respiratória, ajuda a regular o intestino delgado e fortalece o fígado, energizando-o.

> Esta cor **não é aconselhada** para pessoas que são cardiopatas, hipertensas, crianças hiperativas, pessoas agitadas, com problemas de inflamação ou distúrbios emocionais.

 ENERGÉTICO: por ser uma cor muito intensa, estimula e fortalece de maneira rápida fazendo surgir aquela sensação de que estamos realmente aterrados. Outra característica do raio vermelho é a que vitaliza a energia e agita a aura.

 EMOCIONAL: em algumas pessoas, pode provocar agressividade e raiva. Traz uma boa dose de motivação, e a sensação de "querer vencer na vida". Ajuda-nos a tomar decisões rápidas e no sentimento de segurança e confiança, em todos os aspectos. Em determinadas situações, o seu excesso pode causar certa irritabilidade e desconforto.

 MENTAL: deixa os pensamentos agitados. É ótima para aterrar pessoas muito aéreas, sonhadoras e que vivem com a cabeça nas alturas, trazendo-a para a realidade. Transmite uma sensação de poder em todos os âmbitos; aumentando a vontade e os desejos materiais (sexo, aquisição de bens etc.); também nos traz praticidade e nos torna objetivos.

ESPIRITUAL: nesse raio, pode ser considerado polêmico, pois é considerada a cor do pecado, do desejo sexual, da materialidade, e está ligada a forças densas e negativas, sendo contrário ao que é pregado em algumas religiões. Entretanto, vale ressaltar que, crenças religiosas à parte, trata-se de uma radiação positiva, caso empregada de forma correta e consciente. Ainda, sobre esse aspecto, o vermelho é a cor da ação, da execução à nossa missão de alma, de aprendermos a lidar com as coisas da vida.

MODO DE USAR:

Em momentos nos quais você precisa de agito e motivação; quando em situação que necessita de energia e disposição; gera ação e atitude.

LARANJA

É a segunda cor do espectro solar, sendo considerado um raio quente e forte, porém sem a intensidade do vermelho. O laranja é estimulante e nos dá a sensação de vitalidade. Esse raio é considerado o "des", pois possui a característica de "desfazer", "desintegrar", "destruir" etc. trata-se da cor do chacra sexual, equilibrando e harmonizando as gônadas, estimulando a sexualidade sem agressividade e intensidade. Este centro energético tem ligação com as emoções. As suas principais características são alegria, energia, criatividade, vitalidade, desejo sexual, empatia com o próximo, coragem, audácia, transmutação densa, e inconsequência.

 FÍSICO: é uma cor que energiza o baço, as gônadas, o sistema linfático, os rins e os suprarrenais. Auxilia na digestão de forma geral, facilitando o processo sináptico entre as células nervosas. Este raio é indicado em tratamentos reumáticos, e é ótimo para tratar problemas respiratórios, mas com certa precaução. Também, estimula as glândulas mamárias. Em casos de pessoas hipertensas, ela é indicada para aplicação.

ENERGÉTICO: o raio laranja é estimulante e vitaliza os corpos sutis (principalmente o corpo etérico), desbloqueia os meridianos[1], os nadis[2] (canais energéticos), os chacras[3], os marmas[4], entre outras estruturas do ser, melhorando e harmonizando a circulação energética.

 EMOCIONAL: traz a sensação de força e criação. É uma excelente cor no combate a estados depressivos, tristeza, frustrações e medos, tornando o indivíduo mais alegre e com força de enfrentar as adversidades. O laranja está li-

---

[1] **Meridianos:** na Medicina Tradicional Chinesa, "meridianos" são canais de energia localizados em várias regiões do corpo, suprindo os nossos orgãos de energia vital.

[2] **Nadis:** a palavra vem de "nadi" que, em sânscrito, significa "torrente". São canais do corpo sutil por onde circula a energia vital da pessoa.

[3] **Chacras:** palavra de origem sânscrita; trata-se de uma língua antiga - originária da Índia, que significa "roda". Os chacras são centros (ou rodas de energia), localizados ao longo corpo, mas não do corpo físico, e sim de outro corpo, fino, quase imperceptível, denominado duplo etérico, ou corpo sutil, ou corpo energético, ou corpo do prana (definição extraída do livro: "Os Chacras", da autora Carmen Mírio).

[4] **Marmas:** palavra sânscrita que significa "escondido" ou "secreto". São pontos importantes de energia vital, localizados no corpo, e que, ao mesmo tempo, têm conexão com junções de estruturas anatômicas, como músculos, veias, artérias, tendões, ossos e articulações, totalizando 107 pontos marmas no corpo humano.

gado ao prazer não só físico, mas também de viver intensamente a vida.

MENTAL: nos deixa mais criativos, inspirados e desejosos, além de harmonizar nossos pensamentos, nos fazendo olhar para o futuro com boas perspectivas. É a cor da autoestima, das ideias positivas e dos negócios, que auxilia na tomada de decisões.

ESPIRITUAL: é a cor que aniquila formas e pensamentos; e ainda, miasmas, parasitas astrais, elementais nocivos, entre outras formas de energias densas e maléficas.

MODO DE USAR:

Em situações nas quais é preciso
ter coragem para enfrentar e vencer
os desafios; utilize também para aumentar
a criatividade, a alegria e mudar
o estado de ânimo.

AMARELO

É uma cor de vibração quente, não tanto como o vermelho e o laranja. O amarelo estimula a alegria e a concentração, além de ser amplamente favorável para os estudos. Trata-se de uma cor favorável para o intelecto, o sistema digestivo, a inteligência, a sabedoria e o bom humor. Fortalece os nervos, ativa o sistema linfático, e beneficia a pele. As suas principais características são a alegria, a lembrança, o pensamentos, os estudos, a racionalidade, a inteligência e a espiritualidade.

FÍSICO: esse raio é bom para energizar a pele, o pâncreas, o sistema digestivo, incluindo o fígado e o intestino, atuando com uma ação de limpeza. Essa cor ajuda na circulação sanguínea, de forma a aumentar levemente a pressão sanguínea e do sistema linfático. É excelente para promover limpeza na pele, nos casos de cravos e espinhas. Também age sobre o sistema nervoso, e possui características de nocividade em parasitas e vermes alojados no corpo físico. Em contrapartida, o seu excesso pode gerar gastrite.

- **ENERGÉTICO:** energiza o corpo mental, porém deve ser usado com moderação. Esse raio está ligado ao chacra umbilical e, em conjunto com a cor laranja, ajuda a eliminar formas e pensamentos, miasmas, entre outros mecanismos nocivos sutis.

- **EMOCIONAL:** traz alegria e felicidade (o que podemos chamar de "bom humor"), nos ensinando a lidar com os desafios da vida cotidiana, o medo, a depressão e a melancolia. Proporciona ânimo, paciência em situações que requerem essa qualidade, e gera otimismo.

- **MENTAL:** esse raio favorece os aspectos mentais do ser. É uma cor excelente para estudos de qualquer natureza. Considerada um fortificante mental estimula o uso do nosso raciocínio lógico. Quando utilizado em excesso, pode fazer com que a pessoa fique apenas na elaboração dos planos, podando a sua ação e a sua prática. O amarelo também não é recomendado para pessoas muito aéreas (ou muito mentais), pois pode ocasionar confusão e estafa mental.

ESPIRITUAL: tem uma ligação direta com a cor dourada, considerada a cor da espiritualidade. Sua associação com o sol vem de milênios, principalmente, com o antigo Egito. É uma cor que traz esclarecimentos, fortalecimento psíquico e energético.

MODO DE USAR:

Faça uso da cor para buscar momentos de alegria e bom humor na sua vida; para trazer inteligência emocional, foco para a vida e para os seus objetivos.

VERDE

Esse raio é aquele que fica no meio do espectro solar, ou seja, ele não é quente nem frio. Essa cor nos dá a sensação de frescor e alívio. É considerada, por muitos estudiosos, como a cor da cura, podendo ser empregada em vários tipos de tratamento. Ela favorece a digestão dos alimentos e estimula o equilíbrio, o relaxamento muscular e refresca o sangue; também estabiliza a nossa energia, os nossos pensamentos e sentimentos, além do sistema endócrino, do sistema nervoso e do sistema circulatório. O verde alivia o estresse diário, assim como acontece na natureza, em meio à vegetação. Alguns autores o consideram uma cor antisséptica. Suas principais características são equilíbrio, cura, homeostase[5], regulador e antiestresse.

FÍSICO: esse raio sempre foi considerado um agente no combate a inúmeros males no corpo. Proporciona equilíbrio e traz uma sensação de que o organismo está em seu

---

[5] **Homeostase:** é uma forma de o corpo manter um equilíbrio interno de forma estável, usando seus próprios recursos, ou seja, processos fisiológicos, fazendo com que o nosso organismo trabalhe de forma adequada.

perfeito funcionamento. É uma cor ótima para o coração, as artérias, os músculos, os nervos etc.; é o raio que ajuda a devolver a homeostase ao nosso organismo.

ENERGÉTICO: essa é a cor do chacra cardíaco, sendo muito utilizado em trabalhos de curas energéticas, nos corpos sutis, e nos demais chacras, meridianos ou nadis, marmas etc.

EMOCIONAL: estabiliza e harmoniza todo e qualquer problema nesta área. Com isso, conseguimos entender diversas situações da nossa vida. É uma cor que, com o tempo, nos ajuda a tomar decisões sem qualquer impulsividade, mas de forma ponderada e tranquila, equilibrando o racional com o emocional.

MENTAL: acalma a nossa mente de maneira sutil, equilibrando os nossos pensamentos. Ajuda a curar os pensamentos ruins, e a perceber o quanto podemos estar equivocados em relação às nossas formas de pensar e agir. Entretanto, em alguns momentos, essa cor pode causar indecisão, no caso de excesso.

ESPIRITUAL: esse raio é muito usado em processos de cura espiritual, especialmente em templos espirituais, centros espíritas e umbandistas; em rituais nativos, regressão de memória, entre outros locais com práticas de cunho espiritual. Nas regressões, por exemplo, é comum observar, na recordação dos acontecimentos passados, a utilização do raio verde para trazer cura para o corpo extrafísico, geralmente, num hospital espiritual, no período "entrevidas"[6].

MODO DE USAR:

Quando necessitar de equilíbrio e ser mais preciso em seu trabalho; para realizar um caminho de cura interior, em todos os âmbitos da sua vida.

---

[6] **Período "entrevidas":** é o intervalo entre uma encarnação e outra, onde o espírito pode ter experiências em certas dimensões, sejam elas inferiores ou superiores.

AZUL

É a primeira cor fria do espectro solar. De certa forma, nos lembra do azul do céu, no qual muitos místicos e antigos sábios fazem uma ligação com as divindades ou com o lado espiritual. trata-se de uma cor que tem as mais diversas propriedades terapêuticas. Esse raio trabalha a harmonização interior, traz calma e promove relaxamento. Favorece as articulações, relaxa os músculos, acalma o sistema nervoso e é ótimo para controlar taquicardia e problemas de hipertensão. O azul transmite a sensação de proteção, nos fazendo acreditar que bons ventos soprarão a favor, pois nos eleva a momentos de grande fé. Suas principais características são tranquilidade, harmonia, comunicação, sociabilidade, relaxamento, proteção, fé e espiritualidade.

FÍSICO: tem propriedades de suavizar e estabilizar a circulação sanguínea; relaxa a musculatura tensa, melhora a lubrificação de diversas articulações que possuem líquido sinovial, lubrifica as cordas vocais, suaviza a ação sináptica das células nervosas e harmoniza os tecidos do corpo. É indicado para tratar doenças inflamatórias e infecciosas, além de problemas de audição; também energiza a glândula tireoide e auxilia no tratamento do câncer.

🟦 **ENERGÉTICO:** esse raio está ligado ao nosso chacra laríngeo, que é o centro energético da expressão. A cor apazigua todo e qualquer distúrbio vibracional, criando uma atmosfera de proteção e aconchego ao nosso redor, remetendo a uma sensação de segurança e confiança.

🟦 **EMOCIONAL:** o azul auxilia na purificação das emoções, ajudando a perceber que precisamos nos conectar a uma esfera mais sutil, a fim de entender determinadas manifestações que ocorrem no nosso interior. Essa cor nos estimula ao desprendimento e traz calma para aqueles que estão estressados, nervosos, irritados e raivosos. Ainda, nos ajuda a dar novos direcionamentos na nossa vida sem sofrer tanto.

🟦 **MENTAL:** acalma a mente, promove inspirações elevadas, quebra padrões negativos de pensamentos, nos fazendo perceber as coisas ao nosso redor com um olhar mais tranquilo. Essa cor deve ser evitada apenas para as pessoas que sofrem de depressão, pois pode-se agravar o quadro.

ESPIRITUAL: a cor azul ativa nosso lado mais espirituoso, buscando entendimento do por quê de muitas coisas, trazendo um sentimento de compaixão e compreensão. Esse raio nos remete ao manto azul, da mãe Maria, de São Miguel Arcanjo, de Iemanjá, entre outros personagens religiosos. Essa vibração nos leva à aproximação do nosso eu superior, nos conectando aos seres de luz e aos protetores, nos mostrando o caminho de onde devemos exercitar e fortificar nossa fé.

MODO DE USAR:

Quando precisar de paz e tranquilidade, de relaxar e confiar no fluxo universal; em momentos de busca de entendimento sob um olhar mais elevado.

AZUL ÍNDIGO

Esse é um raio frio, e está localizado entre o raio azul e o violeta. Tem um tom mais forte, de propriedade mais intensa do que o azul, porém com algumas características peculiares. Essa cor é considerada a cor da sabedoria pela revelação, além de ser calmante e sedativa, fria e adstringente, pois relaxa a mente para um contato maior com as esferas elevadas por meio da meditação. Tem efeito coagulante forte, é um purificador sanguíneo, proporciona limpeza psíquica e alivia as tensões do dia a dia. Suas principais características são a consciência, o sedativo, o conhecimento, a purificação, e a visão ampliada e relaxante.

FÍSICO: esse raio é indicado para situações nas quais se precisa estancar o sangue, acelerando o processo de coagulação na região afetada. Tem efeito anestésico poderoso e sedativo. Auxilia na purificação do organismo, principalmente, do sangue e da linfa. É uma cor fria, que proporciona calma para qualquer situação. O índigo e o azul são cores ótimas, que trazem um sono tranquilo e reparador. Ajuda a acalmar o coração e baixar a pressão arterial, além de equilibrar a audição, visão e nariz. O raio também pode ser usado para problemas estomacais (como gastrite), doenças pulmonares, distúrbios nas glândulas paratireoide e pituitária.

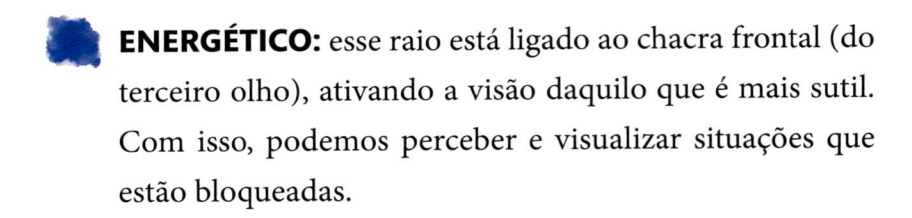

- **ENERGÉTICO:** esse raio está ligado ao chacra frontal (do terceiro olho), ativando a visão daquilo que é mais sutil. Com isso, podemos perceber e visualizar situações que estão bloqueadas.

- **EMOCIONAL:** é a cor que nos estimula à praticidade, porém com sabedoria. Mostra-nos o caminho para perceber quais pontos devemos melhorar internamente, fazendo-nos compreender o motivo pelo qual trazemos isso na vida atual, e como promover as transformações na nossa vida. Ajuda-nos a relaxar e usar todo o nosso conhecimento para superar os desafios do dia a dia.

- **MENTAL:** essa cor nos faz desinibidos e corajosos para encarar os nossos medos; limpa as nossas energias psíquicas, traz expansão mental, abrindo a nossa consciência para olhar as situações da nossa vida de maneira holística.

ESPIRITUAL: nos torna conscientes da nossa experiência terrena e das projeções astrais. Ativa a clarividência, pois abre o terceiro olho, que seria considerado, por muitos sábios, como os "olhos do espírito". Em razão disso, as experiências de visões do passado e do futuro são facilitadas.

MODO DE USAR:

Para meditar e buscar o autoconhecimento; ter paz e sono profundo; olhar para dentro e buscar as respostas da alma.

VIOLETA

Este raio é o mais forte e o mais frio de todos. É uma cor voltada, puramente, para a alta espiritualidade. O violeta é a cor da transformação plena, sendo bastante utilizada para transmutar todo e qualquer processo, do negativo ao positivo, devido à sua força e vibração, promovendo, assim, uma limpeza profunda. Tem sua relação com a glândula pineal, realizando um contato maior com o mundo espiritual. É considerada, ainda, a cor do poder de si mesmo, da sua essência, tendo ligação com os aspectos espirituais do ser. Suas características principais são a espiritualidade, a divindade, o luxo, o poder, a abnegação, a transformação, e a cura.

FÍSICO: esse raio possui propriedades anticancerígenas, pois é capaz de estagnar o crescimento e desenvolvimento das células tumorais. Purifica o sangue e estimula a produção de glóbulos brancos, o baço e os ossos. Traz efeito calmante ao sistema nervoso, cardíaco e linfático. É ideal para o cérebro e medula, alimentando a glândula pineal. Serve para tratar irritação nervosa, inflamações, neuroses, entre outras doenças do sistema nervoso.

ENERGÉTICO: essa cor transmuta toda e qualquer energia densa em energias mais calmas e harmônicas. A cor do raio está ligada ao chacra da coroa, ou o coronário, no topo da cabeça. Refina as nossas energias nos corpos sutis, aumentando o grau de espiritualidade.

EMOCIONAL: para os artistas, ou aqueles que buscam inspiração do alto, é a cor ideal, pois purifica todo e qualquer desequilíbrio emocional, trazendo calma e paz. Abre a nossa intuição, facilitando a meditação ou mesmo quando precisamos ouvir o nosso interior; também auxilia a quem procura adquirir autorrespeito e autoestima.

MENTAL: equilibra a mente, transmuta sujeiras mentais, e é muito utilizado para tratar doenças mentais de qualquer natureza. Auxilia na quebra de vínculos psíquicos nocivos, facilitando a elaboração de pensamentos mais elevados.

ESPIRITUAL: esse raio sempre teve uma ligação com o Conde de *Saint Germain*, por ser um raio purificador e de transformação do ser. É a cor que nos liga ao mundo espiritual, aos seres de luz e de extrema sutileza e amor. Ainda, está relacionada à limpeza espiritual em qualquer nível, sendo a cor do "eu superior". A compreensão e o entendimento espiritual são ampliados quando essa cor está em harmonia conosco.

MODO DE USAR:

Em momentos de conexão com o Universo, com o espiritual e para adentrar num processo de transmutação interna de pensamentos e sentimentos; para realizar uma grande transformação na sua vida.

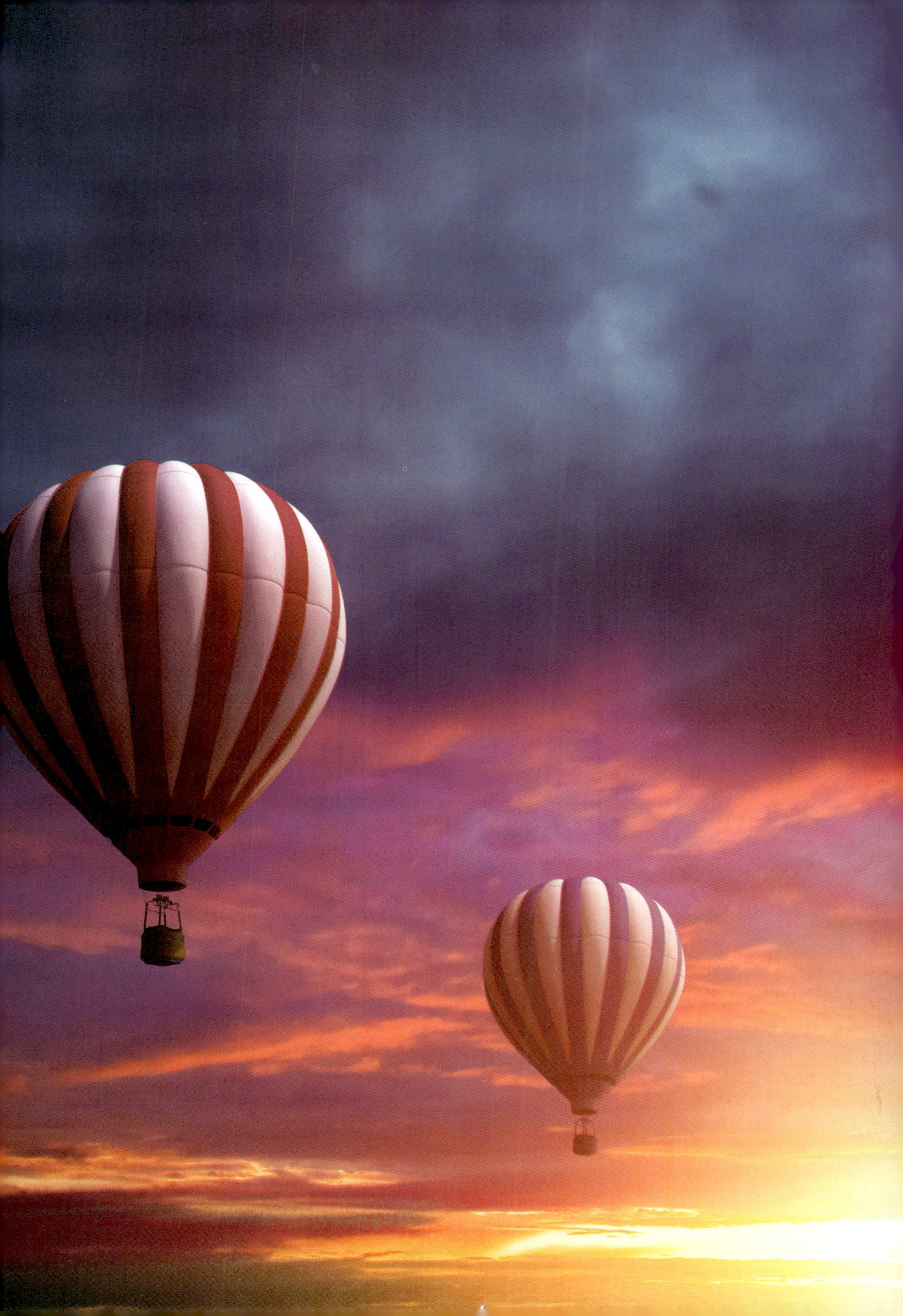

4

OUTRAS CORES

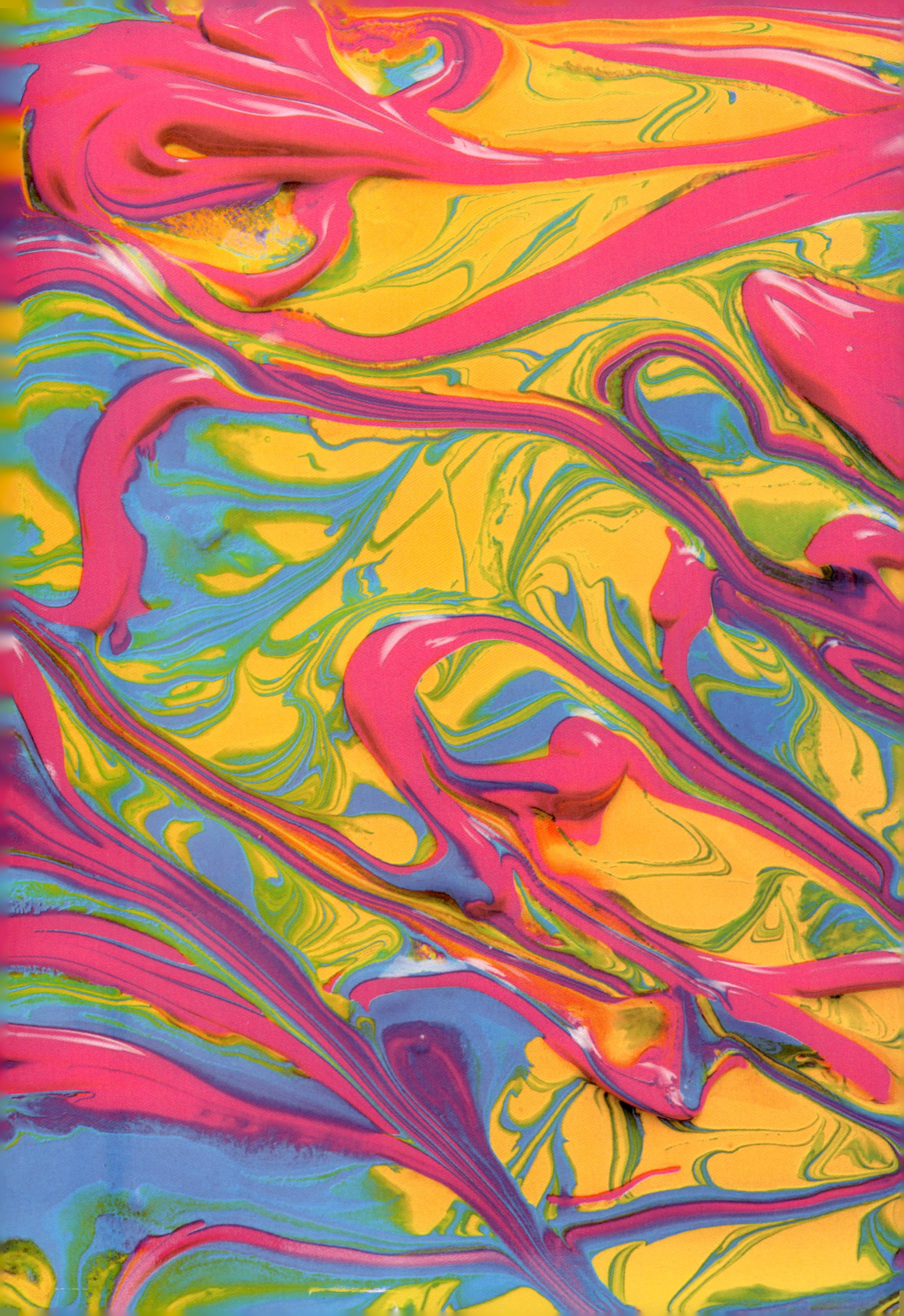

VERDE-LIMÃO

É a mistura do verde claro com o amarelo. Auxilia na retirada de resíduos ou impurezas do corpo. Trata-se da cor que nos estimula a falar a verdade interior e energiza a glândula "timo". Ela renova o organismo, ajuda no crescimento ósseo, na limpeza dos rins, do fígado, do corpo etéreo e do sangue; também elimina catarro na cavidade sinusal.

TURQUESA

É a mistura da cor verde com o azul. Ajuda a aliviar as inflamações, ativando o sistema imunológico. Os antigos entendem que a vibração dessa cor afasta energias negativas, o tão falando "mau-olhado"; serve ainda para tratamentos da pele. Outra função importante é a de proporcionar a sensação de proteção contra toda e qualquer força estranha, além de atrair bons fluidos.

VERMELHO-ALARANJADO

É a mistura do vermelho e com o laranja, sendo a vibração dessas duas cores. Aqui, vemos em ação a mistura das energias masculina e feminina. trata-se de um tom menos forte e agressivo, que pode ser usado no lugar do vermelho apenas quando a pessoa não puder utilizar essa cor.

DOURADO

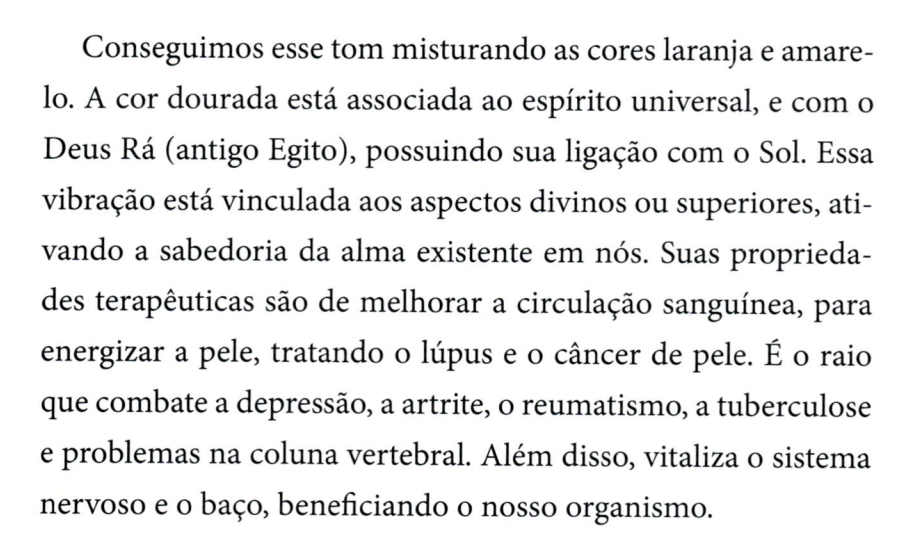

Conseguimos esse tom misturando as cores laranja e amarelo. A cor dourada está associada ao espírito universal, e com o Deus Rá (antigo Egito), possuindo sua ligação com o Sol. Essa vibração está vinculada aos aspectos divinos ou superiores, ativando a sabedoria da alma existente em nós. Suas propriedades terapêuticas são de melhorar a circulação sanguínea, para energizar a pele, tratando o lúpus e o câncer de pele. É o raio que combate a depressão, a artrite, o reumatismo, a tuberculose e problemas na coluna vertebral. Além disso, vitaliza o sistema nervoso e o baço, beneficiando o nosso organismo.

PRATA

A vibração desse raio é muito utilizada em casos de processos obsessivos, pois tem propriedades de queimar e purificar qualquer energia densa. Pode ser usada terapeuticamente quando a pessoa apresentar problemas espirituais ou de atrair forças de proteção para qualquer tipo de atividade espiritual. É considerada uma cor de proteção e de limpeza, promovendo uma sensação de imparcialidade sem qualquer frieza. Junto com o dourado, representa as forças espirituais de luz agindo de forma positiva.

BRANCO

O branco proporciona paz e tranquilidade. Pode ser nas mais diversas aplicações. Na verdade, é a essência de todas as outras cores, e representa a pureza, a paz, o sagrado e luz. Essa cor é usada em trabalhos ou atividades de doação, cura ou caridade, ou ainda quando se busca clareza de ideias, pensamentos, conexão com o espiritual e sentimentos que estão em comunhão com o grupo.

PRETO

É o oposto do raio branco, pois surge quando não há luz. Essa cor é a da "não percepção humana", ou seja, aquelas não são detectadas pelos bastonetes ou cones, que são as células captadoras das ondas de cores, transmitindo-as para o nosso cérebro a sua decodificação, visualmente falando. Trata-se da cor do luto, do oculto, do isolamento e de proteção em algumas situações, ou para não ser percebido em algum lugar. O preto também representa o oculto que está em nós e precisa ser avaliado.

CINZA

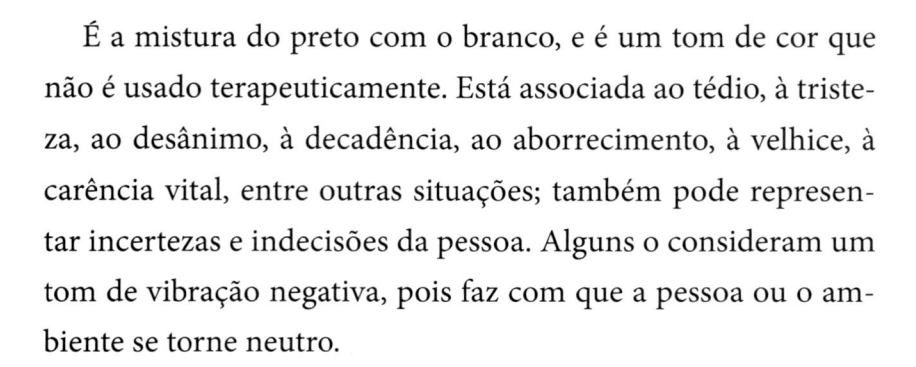

É a mistura do preto com o branco, e é um tom de cor que não é usado terapeuticamente. Está associada ao tédio, à tristeza, ao desânimo, à decadência, ao aborrecimento, à velhice, à carência vital, entre outras situações; também pode representar incertezas e indecisões da pessoa. Alguns o consideram um tom de vibração negativa, pois faz com que a pessoa ou o ambiente se torne neutro.

ROSA

É a mistura do vermelho com o branco. Trata-se de uma vibração mais feminina. Estimula o amor, de maneira expansiva. Traz compreensão e compaixão, auxiliando nos trabalhos de perdão e autoperdão. Na parte física, é excelente purificador sanguíneo e ajuda os rins também neste processo. Essa cor é recomendada na busca de paz interior e para desenvolver o altruísmo.

MAGENTA

É a combinação do vermelho com o violeta - dois extremos do espectro solar. Proporciona energia, é diurético, auxilia no combate o câncer, e elimina antigos padrões mentais e emocionais, trazendo estabilidade nessas áreas. Por ser considerada uma cor espiritual, é boa para tratar a nossa aura, principalmente, o corpo etérico, transmutando vibrações nocivas.

MARROM

É uma cor ligada à terra, ao chacra básico e raiz. Traz confiança, segurança, calma e praticidade. O marrom é bastante recomendado para pessoas que precisam de aterramento, que são muito aéreas, ou seja, que vivem no "mundo da lua" ou pensam demais e não realizam nada. Ele promove solidez de personalidade e estímulo ao conservadorismo. A variação dessa cor é o bege, que é mais suave para a utilização em roupas e ambientes. O bege é uma variante do marrom – que transmite serenidade e passividade; é considerado clássico, mais quente do que frio, e passa a sensação de antiguidade, pouco movimento, aconchego e conforto.

AZUL-MARINHO

É uma variante do azul-índigo, porém, com um tom mais escuro. Demonstra seriedade e confiança, dá um ar de profundidade, de alguém que conhece bem sobre o que fala. trata-se de uma cor que demonstra característica de conservadorismo.

MODO DE USAR:

Após ler sobre as outras cores, feche os olhos e, neste momento, ouça a sua intuição, sentindo, no seu interior, qual (ou quais) cor(es) pode(m) ajudá-lo a chegar até o sucesso da sua jornada de vida atual.

5

AS CORES E O AUTOCONHECIMENTO

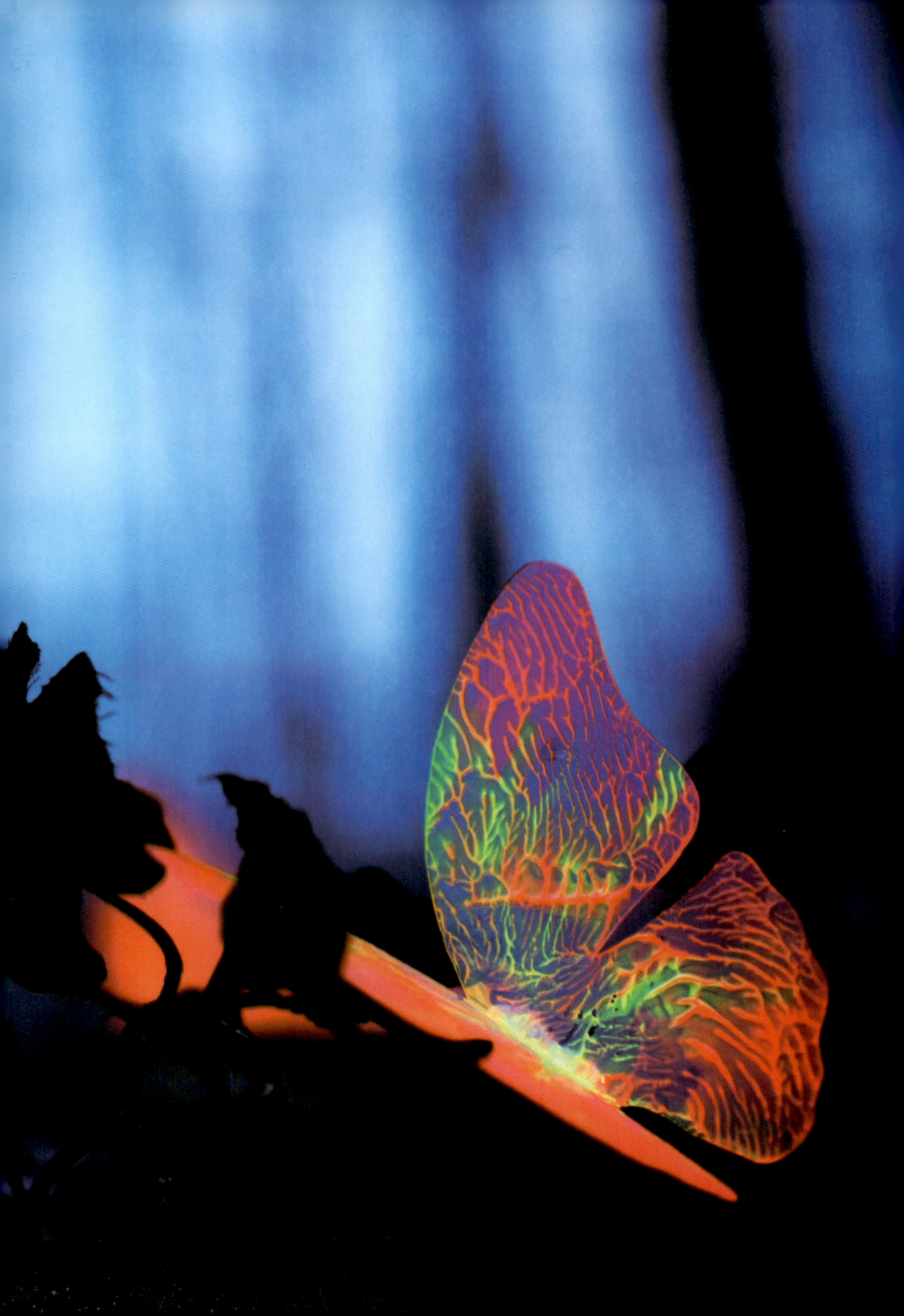

Ao lidarmos com as cores, podemos identificar que cada uma delas pode nos levar ao processo de reflexão sobre a nossa própria forma de ser no dia a dia. Através de determinada cor, é possível ver como está o nosso estado de humor naquele dia, ou mesmo naquele momento. Andamos diariamente no "piloto automático" e, devido a isso, nem percebemos o motivo pelo qual escolhemos uma cor ao invés de outra.

Para isso, vou lançar aqui um desafio, que é muito utilizado nos cursos que ministro. Pegue um lápis e papel, e vamos trabalhar um pouco.

> 1. Você vai descrever qual a cor (ou quais as cores) que você mais gosta ou mais usa, e vai dizer o porquê (tem que ser aquela cor que vier à sua mente).

> 2. Depois de identificar as cores e o motivo pelo qual gosta ou usa, escreva também a cor (ou as cores) das quais não gosta, escrevendo no papel o motivo.

"SOMOS SERES DUAIS, E ESSA DUALIDADE SE MANIFESTA EM DETERMINADOS MOMENTOS, DEPENDENDO DO NOSSO EQUILÍBRIO INTERIOR E DAS FORÇAS QUE ESTÃO VIBRANDO DENTRO DE NÓS. NOSSOS PENSAMENTOS E EMOÇÕES ESTÃO EM CONSTANTE MANIFESTAÇÃO, E ESSA PERCEPÇÃO FOGE, MUITAS VEZES, DO NOSSO CONTROLE"

Marcelo U. Syring

Os aspectos positivos e negativos da cor representam um perfil da sua personalidade, neste momento da sua vida (pode ser que você se identifique com alguma característica, ou com mais de uma). A cor que você escolheu, como aquela que você não gosta ou não se identifica, significa que você precisa trabalhar, em si mesmo, as características apresentadas por ela, seja no aspecto positivo ou negativo.

VERMELHO – no aspecto positivo, mostra que você tem tendência a ser uma pessoa agitada, motivada e cheia de energia para fazer o que precisa no seu dia a dia. Demonstra força e vigor, vontade de atingir seus objetivos com garra e determinação, sem medir esforços para isso. No aspecto negativo, mostra uma tendência à irritabilidade, ao materialismo, ao nervosismo, à impulsividade, à raiva e em querer tudo para o agora. Esses são aspectos que podem prejudicá-lo neste momento da sua vida.

LARANJA – no aspecto positivo, significa que você é uma pessoa criativa, alegre, despojada, ousada, corajosa e cheia de energia, com tendência a se dar bem nos negócios e no empreendedorismo, além de também saber lidar com as emoções. No aspecto negativo, pode ser considerada uma pessoa inconsequente e bastante destemida, com medos em excesso, estagnação e procrastinação na vida, dificuldade de se relacionar consigo mesmo (e com os outros), muito analítica, crítica e sem criatividade.

AMARELO – no aspecto positivo, significa que tende a ser de personalidade mais racional do que emocional, de bastante bom humor e alegria; de pensamentos e ideias positivas, gosto pelos estudos e análise de dados; é uma pessoa focada e com facilidade de concentração. No aspecto negativo, pode apresentar ser uma pessoa mental e racional demais, que pensa bastante e, neste caso, é preciso tomar certo cuidado, pois isso pode ocasionar certa "dor de cabeça" em algumas situações.

VERDE – no aspecto positivo, demonstra ser uma pessoa com calma e equilíbrio; de certa forma, tranquila e atenta aos detalhes. No aspecto negativo, pode ser uma indecisa, tendendo a ficar sempre "em cima do muro", vivendo, na maioria das vezes, em desequilíbrio.

AZUL – no aspecto positivo, você parece ser uma pessoa bem calma e sociável; tranquila e espirituosa, sempre acreditando nas possibilidades, alimentando a fé e se expressando de maneira harmoniosa. No aspecto negativo, tende à lentidão e é voltado às questões mais espirituais, fugindo de coisas que envolvam o lado material e de concretização.

ÍNDIGO – no aspecto positivo, é mais voltado à espiritualidade, à busca de autoconhecimento, e do entendimento sobre o que envolve o mundo espiritual, buscando sempre enxergar além daquilo que está à sua frente. No aspecto negativo, tem dificuldade em lidar com as coisas mundanas, sempre "viaja" demais mentalmente e fica no mundo da lua.

VIOLETA – no aspecto positivo, é uma pessoa mais voltada à espiritualidade e à transcendência, sempre buscando o seu "eu superior"; está sempre ligada às dimensões divinas do ser e de manifestação do seu empoderamento espiritual, transmutando todas as situações. No aspecto negativo, pode desenvolver uma tendência a achar que já está bastante espiritualizado, colocando-se acima de tudo e de todos; tende a ter ainda dificuldade com a vida material, como com conquistas e ganhos financeiros.

VERDE-LIMÃO – no aspecto positivo, pessoa busca expressar sua verdade interior, mesmo que isso possa doer aos outros, além de ser, geralmente, de personalidade forte. No aspecto negativo, costuma se envolver pela verdade dos outros, possuindo certa dificuldade de remover obstáculos internos ligados aos pensamentos e emoções.

TURQUESA – no aspecto positivo, é uma pessoa forte espiritualmente, com percepção aguçada a qualquer influência energética estranha, utilizando sua fé como canal de superação. No aspecto negativo, não se protege e não tem força espiritual para enfrentar os obstáculos da vida.

VERMELHO-ALARANJADO – no aspecto positivo, tem equilíbrio entre o seu feminino e masculino, lidando bem com essas duas forças internas. No aspecto negativo, age contrariamente, tendo dificuldade em lidar com seu feminino e com seu masculino.

DOURADO – no aspecto positivo, é uma pessoa que tende a ser sábia em várias situações, sempre buscando respostas de âmbito espiritual para resolver quaisquer problemas, além de ser próspera e abundante. No aspecto negativo, tem dificuldade em acessar a sabedoria interna e lidar com a prosperidade.

PRATA – no aspecto positivo, tem tendência a receber ajuda espiritual e proteção quando está no seu caminho de alma e fazendo algo que envolve um trabalho espiritual de luz, seja de qualquer religião ou segmento espiritual. No aspecto negativo, está frequentemente sob influência de forças estranhas, ataques psíquicos e obsessivos, sofrendo muitas interferências.

BRANCO – no aspecto positivo, é uma pessoa que gosta das coisas claras que busca ajudar o próximo, se doar para os outros, auxiliar as pessoas para uma causa maior. No aspecto negativo, tem dificuldade em enxergar seu "eu", e não gosta de ajudar os outros, tendo tendência ao egoísmo.

PRETO – no aspecto positivo, sabe lidar com seu mundo interno, além de ser bem discreta, não querendo aparecer. No aspecto negativo, tem dificuldade de se relacionar, cultivando o luto e com tendência ao isolamento.

CINZA – no aspecto positivo, são pessoas que prezam à neutralidade, mais analíticas perante qualquer situação, e sem qualquer envolvimento emocional. No aspecto negativo, tendem à tristeza, à depressão, à apatia, ao desânimo, e apego ao passado.

ROSA – no aspecto positivo, é uma pessoa amorosa, afetuosa, com comportamento de compaixão e compreensão, que cultiva relacionamentos mais tranquilos. No aspecto negativo, tem dificuldade em perdoar, alimenta mágoas de forma constante, e age de maneira muito emocional.

MAGENTA – no aspecto positivo, a pessoa tem tendência a ter bastante energia e disposição para a vida, com desprendimento a padrões de pensamentos e sentimentos, sendo de característica mais espirituosa. No aspecto negativo, é alguém com tendência materialista, que preza a padrões antigos de raiva e mágoa.

MARROM – no aspecto positivo, é considerada uma pessoa prática e tranquila, demonstrando maturidade e atitudes conservadoras em muitas situações, sendo alguém com os "pés no chão", que busca solidez quando se trata de investir seu dinheiro. No aspecto negativo, tem dificuldade em resolver questões de forma simples, além de ter tendência à insegurança e bloqueio nos assuntos de aspectos espirituais.

AZUL-MARINHO – no aspecto positivo, é uma cor que mostra uma pessoa e, em alguns casos, bastante conservadora, que gosta de assuntos de caráter mais profundos e de adquirir conhecimento sobre si e de várias coisas. No aspecto negativo, é pragmática, tendendo a se especializar em uma área e esquecer outra.

AS CORES E A ESPIRITUALIDADE

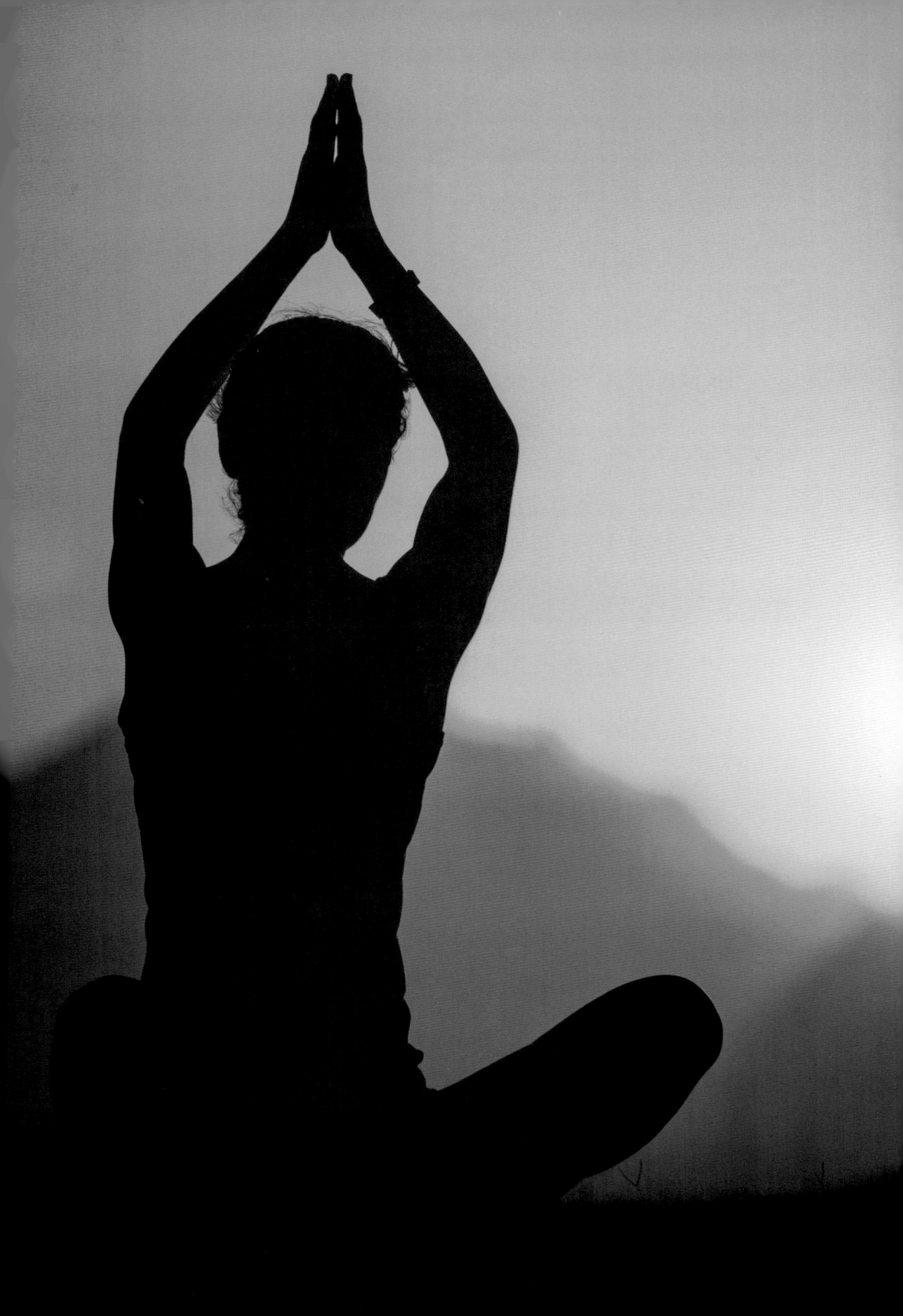

Todos nós temos um papel fundamental neste planeta. Não é à toa que estamos aqui por alguma razão, e é frequente a necessidade que algumas pessoas têm em buscar um sentido para as suas vidas. No entanto, a dificuldade de encontrar esse sentido, no âmbito espiritual, tem se tornado um grande desafio pela relação religião/espiritualidade.

A percepção que tenho, durante o contato nos meus cursos e atendimentos, é de que elas querem mais o espiritual, sem a necessidade de ir para algum lugar, seja templo/centro/igreja, e isso pode ser possível a partir do momento que ela decide entrar em contato com seu próprio universo interior.

Tudo é muito simples e divertido, pois quando se está entregue à experiência da vida e ao momento presente, isso já faz de você um ser espiritual em plenitude com tudo e com o todo. Ou seja, de que adianta a necessidade de tantos rituais e cerimônias se você sequer está presente consigo mesmo, feliz e grato pela vida, e por tudo o que você tem neste momento.

Portanto, as cores têm um papel importante em ajudá-lo na sua reconexão com o sagrado, com as forças superiores, com o seu "Eu Superior". A partir disso, apenas se faz necessário você começar a se entender, a compreender quem você é, de fato.

> "CERTA VEZ, UM XAMÃ ME DISSE QUE, A PARTIR DO MOMENTO QUE VOCÊ ESTIVER EM ALGUM LUGAR DA NATUREZA, DE ALMA ENTREGUE E GRATO POR AQUELE MOMENTO, JÁ ESTARÁ EM CONTATO COM A ESPIRITUALIDADE"
>
> Marcelo U. Syring

O CAMPO BIOELETROMAGNÉTICO

Somos um espírito em uma experiência material, que precisa entender a finalidade da sua jornada. Essa finalidade, muitas vezes, está em encontrar seu caminho de alma, sua trilha espiritual, de despertar sua luz interna. Sua luz irradia por onde anda, transmitindo aquilo que pensa e sente, e, para isso, é necessário entender sobre o campo bioeletromagnético, no qual vibra a todo o momento.

Esse campo bioeletromagnético nada mais é do que a sua aura. Todo organismo vivo irradia energia e luz por onde passa, e essa energia tem relação direta com seus pensamentos e emoções. Quando você pensa, aquele pensamento o leva a algum sentimento ou emoção, que logo tem efeito no seu campo bioeletromagnético, e a frequência emanada desse campo irradia ao seu redor. Portanto, o que você pensa se manifesta, e quem está à sua volta pode perceber essa irradiação em forma de energia. Por exemplo: já aconteceu de você se aproximar de alguém e sentir uma vibração positiva e tranquila, uma sensação agradável sobre aquela pessoa? Isso é sinal de ela irradia pensamentos e sentimentos agradáveis. Também já aconteceu de você se aproximar de alguém e perceber uma coisa estranha, uma energia pesada, ou algo desconfortável, e você sente vontade de se afastar? Os pensamentos e os sentimentos daquela pessoa estão compatíveis com essa vibração e, muitas vezes, nem ela percebe.

OS CHACRAS

Os chacras são centros energéticos que todos nós temos em nossa anatomia sutil. Eles captam e expelem energia vital a todo momento, dependendo da nossa condição psicoemocional.

Quando observamos os chacras e todos os estudos envolvidos a ele, logo fazemos uma analogia das cores, pois, ao analisar cada centro energético e sua vibração, podemos perceber que cada um tem as suas cores de vibração original. A seguir, segue o mapa dos chacras e suas cores correspondentes:

Nº CHACRA	CHACRA	SÂNSCRITO	COR
07	Coronário	*Sahashara*	Violeta
06	Frontal	*Ajna*	Índigo
05	Laríngeo	*Vishuddha*	Azul
04	Cardíaco	*Anahata*	Verde
03	Umbilical	*Manipura*	Amarelo
02	Sexual	*Swadhisthana*	Laranja
01	Básico (ou da base)	*Muladhara*	Vermelho

Num primeiro momento, eles têm suas cores correspondentes (como mostrado na tabela acima). Entretanto, cabe observar que nem sempre as cores serão correspondentes para cada chacra, ou seja, isso não é uma regra. Uma pessoa pode, por exemplo, se expressar de maneira raivosa e vibrar um tom vermelho no chacra laríngeo; ou, então, uma vibrar a cor rosa no chacra cardíaco, sentindo amor pelas pessoas ou por alguém em especial.

Na aplicação da cromoterapia, podemos usar cores diferentes para cada chacra, ou ainda as mesmas cores, pois é necessário que, durante a conversa com a pessoa que vamos tratar, possamos conhecer sua queixa e avaliar a cor adequada para aquela sessão.

Dessa forma, as cores podem ser aplicadas em nosso campo áurico, ou seja, no campo bioeletromagnético, trabalhando algum processo denso, como, por exemplo, para uma forma-pensamento, mecanismos astrais energéticos nocivos, acalmar os pensamentos e emoções, e restabelecer o corpo etéreo, harmonizando-o.

Para quem é clarividente e tem o dom de perceber a vibração áurica da pessoa, e os tons de cores presentes, pode usar as cores para ajudá-la no equilíbrio, utilizando cores específicas ou montando uma combinação apropriada para aquele momento.

BASE (VERMELHO): instintos, força, energia, vitalidade, integração com a terra. Trabalhar este chacra faz com que os instintos de sobrevivência sejam acalmados.

SEXUAL (LARANJA): criatividade, sexualidade, energia, emoções, desejos. Trabalhar este chacra faz com que as relações sexuais fiquem em harmonia com os sentimentos; auxilia na quebra de timidez, no instinto explosivo, no excesso de ambição, na frigidez e na impotência.

UMBILICAL (AMARELO): alegria, inteligência, boa memória, desinibição, relaxamento, bom humor, racionalidade. Trabalhar este chacra, faz com que a autocrítica, o autoritarismo e a depressão sejam quebrados.

CARDÍACO (VERDE): motivação, sentimentos, amor, compaixão, generosidade. Trabalhar este chacra ajuda a eliminar a possessividade, a indecisão, a paranoia, o apego às pessoas ou objetos, e a rejeição.

LARÍNGEO (AZUL): tranquilidade, proteção, harmonia, sociabilidade, comunicação. Trabalhar este chacra evita que a pessoa se torne arrogante, dogmática, fale demais, tenha medo, timidez, falta de confiança, desonestidade, receio do sexo.

FRONTAL (ÍNDIGO): consciência, intuição, desapego, raciocínio, telepatia, terceiro olho, espiritualidade, mente superior. Trabalhar este chacra ajuda a eliminar o orgulho, o dogmatismo, o egocentrismo, a manipulação, o medo do sucesso, a incapacidade de distinguir entre o ego e o "eu superior", e a indisciplina.

CORONÁRIO (VIOLETA): para o "eu superior", o lado espiritual, ampliar o poder divino, transcender, ter uma mente inconsciente, e o cosmos. Este chacra é muito especial, pois quando é trabalhado, elimina a frustração na vida, enxaquecas frequentes, a indecisão, problemas psicológicos e doenças cerebrais.

A COR DA SUA AURA

Quando temos a percepção sobre determinada pessoa e conseguimos visualizar a sua aura, essa visão vem acompanhada da cor (ou cores) na qual a pessoa está vibrando naquele momento, ou mesmo podemos identificar uma cor predominante.

Isso influencia na personalidade e na maneira de agir e se comportar perante os fatos e situações na vida, e uma vez que conhecemos as cores e os seus significados, fica mais fácil ajudarmos qualquer pessoa.

EXERCÍCIO 01

Para realizar esse exercício, procure um lugar tranquilo e confortável, que não tenha nenhuma interferência ou interrupção por parte de alguém. Não se esqueça de colocar seu celular no silencioso.

Coloque uma música relaxante, de preferência aquelas de meditação. Sente-se em um lugar confortável e feche seus olhos. Relaxe a sua mente e procure não pensar em nada, apenas relaxe.

Observe o seu corpo por um tempo. Imagine que tem algo ao seu redor, como se fosse uma leve névoa ou uma luz que o envolve, uma energia sutil à sua volta.

Continue observando por um tempo.

Aos poucos, perceba que essa luz (ou névoa) possui uma cor (também pode conter mais de uma cor). Porém, mesmo que tenha mais de uma cor, há aquela mais predominante. Então, somente observe e a sinta em você.

Agora, agradeça às forças espirituais de luz por essa oportunidade, de identificar a cor da sua aura, porque isso vai ajudá-lo no seu processo de autoconhecimento e transformação. Depois dessa experiência, volte, aos poucos, para o "aqui e agora"; de forma tranquila, abra seus olhos, mexa suas mãos e seus pés com movimentos suaves.

Pronto! Você já sabe qual é a cor da sua aura, e isso é bem importante, pois vai fazê-lo entender como está sua energia naquele momento. Se visualizou mais de uma cor, não tem problema, com certeza, isso faz você entender melhor o seu momento e a sua vibração, e perceberá que uma delas foi predominante na visualização: essa é a que tem mais a ver com você!

E a cor da aura pode mudar com o tempo? A resposta é: sim, porque você pode ter alguma mudança na sua vida e isso irá repercutir na frequência da sua energia e, consequentemente, a cor mudar.

OBSERVAÇÃO

Algumas pessoas, num primeiro momento, encontram dificuldade ou não conseguem visualizar a cor da sua aura. Entretanto, não se preocupe, já que, muitas vezes, é por falta de prática. Não desista, em algum momento, você conseguirá.

EXERCÍCIO 02

Há outro exercício interessante, e que pode ser praticado por qualquer pessoa: ajudar um amigo, conhecido ou familiar a mudar sua frequência de energia (em determinada situação de necessidade) e, assim, descobrir a cor da sua aura.

Sabe aqueles momentos em que alguém nos pede auxílio, pois está passando por uma situação difícil, com algum problema sério para resolver, está morando longe (talvez fora do país) e precisa de socorro?

A primeira coisa importante, antes de você começar a ajudar, é saber se realmente a pessoa o autoriza a fazer essa prática a distância. Uma vez que ela autorizar, você pode executar o que vou sugerir; porém, caso ela não autorize, sugiro que não faça, mesmo que seja um pedido de ajuda, já que a pessoa precisa tomar conhecimento do que você vai fazer pra ela.

Esta também precisa ser realizada em um lugar tranquilo, onde não haja qualquer interrupção. Desligue o celular ou o coloque no silencioso. Coloque uma música suave, para relaxar. Feche seus olhos e peça sempre pela proteção de um ser espiritual que você acredite (anjo, mentor, guardião, um santo etc.). Imagine uma luz azul a sua volta, como se estivesse servindo de escudo, proteção.

Quando se sentir relaxado, visualize a pessoa na sua frente. Aos poucos, irá perceber como ela está, e também que existe uma energia escura (ou algo estranho) em volta dela.

Depois concentre-se nas suas mãos, imagine que nela está pulsando uma energia brilhante com uma cor (nessa hora, deixe a intuição falar mais alto, para saber a cor que está vibrando em suas mãos).

Imagine suas mãos cheias de energia, e que essa energia está sendo toda emitida para a aura dessa pessoa.

Aos poucos, perceberá aquela nuvem sumindo, e a pessoa melhorando. Então, a aura dela começa a emitir uma outra cor (identifique essa coloração).

Agradeça e faça uma reverência a ela, por ter permitido que a ajudasse, e a todos que o protegeram durante este trabalho a distância.

Quando se sentir preparado, retorne tranquilamente ao seu momento atual, mantendo essa energia de proteção à sua volta.

Agora que terminou o exercício, você pode falar a respeito da sua experiência para essa pessoa, orientando-a sobre o que percebeu e a cor da aura dela. Isso, com certeza, irá ajudá-la a compreender o que está acontecendo e como pode melhorar seu estado vibracional, além de entender a relação entre seus pensamentos e sentimentos, e a necessidade de olhar para dentro de si e fazer mudanças, a fim de fortalecer e transformar a sua vida daqui em diante.

Para entender melhor a cor (ou cores) que saíram da sua mão, sugiro que retorne às páginas anteriores e leia o seu significado, e a energia que foi trabalhada.

Veja a seguir algumas informações importantes em relação à cor da aura, e o seu significado:

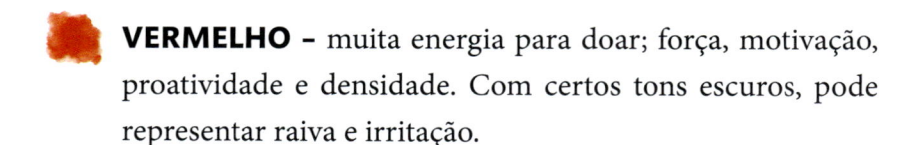

VERMELHO – muita energia para doar; força, motivação, proatividade e densidade. Com certos tons escuros, pode representar raiva e irritação.

LARANJA – criatividade e força vital; também pode ser uma aura de alegria, descontração, coragem, enfrentamento; de pessoa que tem dom para os negócios e o empreendedorismo.

AMARELO – alegria, inteligência e raciocínio aguçados, intelectualidade, busca de conhecimento pelos estudos, poder de concentração.

VERDE – pessoa com dom de cura (terapeuta ou *médium*); equilíbrio emocional e mental; pode ser, ainda, uma pessoa com dons para trabalhos envolvendo maior poder de precisão.

AZUL – pessoa com energia de proteção, certo grau de espiritualidade, bondade, paz e tranquilidade; além de sensibilidade e percepção extrassensorial.

ÍNDIGO – sabedoria e conhecimento através do espiritual; sabe ver o lado oculto das coisas; tem o dom de ensinar e para a clarividência.

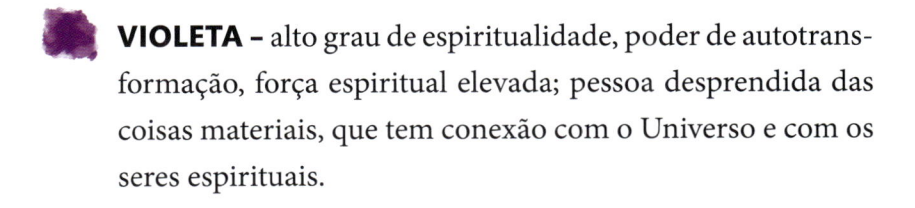

VIOLETA – alto grau de espiritualidade, poder de autotransformação, força espiritual elevada; pessoa desprendida das coisas materiais, que tem conexão com o Universo e com os seres espirituais.

VERDE-LIMÃO – pessoa em busca de autoconhecimento; alguém com tendência a expressar sua verdade.

VERMELHO-ALARANJADO – força e coragem; determinação e foco.

TURQUESA – aura de proteção, força espiritual; pessoa com dons mediúnicos aguçados.

DOURADO – sabedoria espiritual (ou de alma); pessoa ligada aos estudos, de força espiritual elevada e vibração forte de abundância e prosperidade.

PRATA – força espiritual, proteção, energia de cura; alguém com dons para lidar com questões espirituais.

BRANCO – manifestação de doação e propósito de alma; indivíduo com características de clareza de pensamento e sentimento.

PRETO – energia densa e pesada, no caminho contrário à alma; aura de pessoa que vive presa no seu mundo, e que não se abre para o externo.

CINZA – tristeza e apatia; energia pesada, podendo significar doença.

ROSA – amorosidade e altruísmo; espírito de compaixão e de elevação espiritual; alto poder de compreensão sobre as coisas do mundo.

MAGENTA – pessoa com certo grau de espiritualidade e voltada à busca da autotransformação, através do amor e da compaixão.

MARROM – pessoa aterrada e "pés no chão".

AZUL-MARINHO – ver acima, nas cores azul e índigo.

AS CORES E AS FORÇAS ESPIRITUAIS

Quando alguém está aplicando determinada cor, seja como luz de um ambiente ou em um local de tratamento, essa cor atrai forças espirituais condizentes com a frequência do raio. Um exemplo disso é quando colocamos uma lâmpada de cor verde, e sempre utilizamos essa cor quando estamos em determinado local. Isso vai criando um campo de energia adequado ao objetivo daquela vibração, que logo atrai egrégoras condizentes ao objetivo daquele trabalho. As forças espirituais atreladas àquele raio entram em ação e realizam sua obra, seja ela para uma finalidade específica ou não.

Todo e qualquer trabalho envolvendo cores, com o tempo, atrai seres diretamente relacionados ao raio correspondente, e que atuam de forma efetiva; ou, como costumo dizer, é como se a cor atraísse as vibrações correspondentes e, quando utilizada de forma correta, as forças espirituais encontram espaço para trabalhar dentro daquela proposta. Em resumo: se um trabalho com a cor for para ajudar uma pessoa na sua melhora/evolução, os seres espirituais de luz encontram uma "brecha" para auxiliar e contribuir com este propósito, pois, onde há boa intenção e amor, há luz.

Outro exemplo interessante é quando uma pessoa se encontra doente, e a orientamos a colocar, no seu quarto ou local de descanso, uma luz para contribuir com a cura. Se ela abrir o campo para o recebimento, aqueles seres correspondentes ao raio entrarão em ação e auxiliarão a pessoa, seja somente através da vibração da cor ou proporcionando outras formas de melhora dentro daquela frequência de vibração.

Isso explica energia das cores em forma de luz, quando usadas em determinados trabalhos espirituais.

A seguir, descrevo algumas cores e as forças espirituais envolvidas:

- **VERMELHO** – as forças espirituais relacionadas a essa cor atuam na realização e concretização de objetivos, na conscientização da necessidade da revitalização e busca da força interior (executar sua missão de alma).

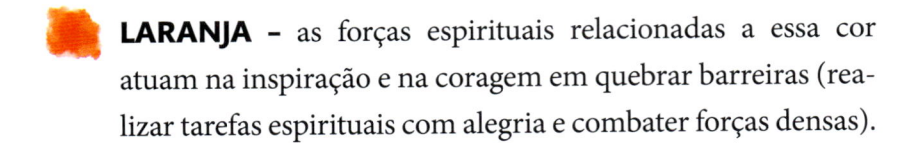

LARANJA – as forças espirituais relacionadas a essa cor atuam na inspiração e na coragem em quebrar barreiras (realizar tarefas espirituais com alegria e combater forças densas).

AMARELO – as forças espirituais dessa cor têm relação com equipes de seres iluminados que agem no campo de estudo, ajudando a trazer do espiritual para o material todo o conhecimento necessário.

DOURADO – as forças deste raio proporcionam sabedoria espiritual que vem da alma e do Universo, e cura através da interiorização e autoconhecimento.

PRATA – as forças espirituais que trabalham dentro deste campo atuam no combate à magia e encantamento através da luz, no desbloqueio energético/espiritual, e na desconstrução de forças ocultas nocivas.

VERDE – as forças espirituais atuantes nessa energia são de equipes de cura voltadas à utilização de elementos da natureza (energia), e trazem equilíbrio em todos os âmbitos da vida, ou seja, mental, emocional, físico e espiritual.

AZUL – as forças espirituais relacionadas a este raio têm o objetivo de promover elevação e proteção, proporcionando sabedoria, profundidade, acolhimento e proteção espiritual, estímulo à purificação da alma.

VIOLETA – as forças espirituais são de seres iluminados que atuam na transformação do ser (reforma interior, mudanças de comportamento e elevação de frequência), além de atuarem no carma pessoal – merecimento).

ROSA – as forças espirituais da cor rosa estão ligadas ao amor divino e à purificação dos sentimentos de amorosidade, compaixão e compreensão sobre todas as coisas. Aqui, tudo é baseado em desenvolver o amor através de ações benéficas a si e ao próximo.

"OS SERES DE LUZ ATUAM SEMPRE EM BENEFÍCIO DA EVOLUÇÃO E DO DESPERTAR DAS PESSOAS, OU DE UM GRUPO, E NUNCA PARA ALGUM TIPO DE FAVORECIMENTO DO EGO"

Marcelo U. Syring

7

AS CORES E OS ALIMENTOS

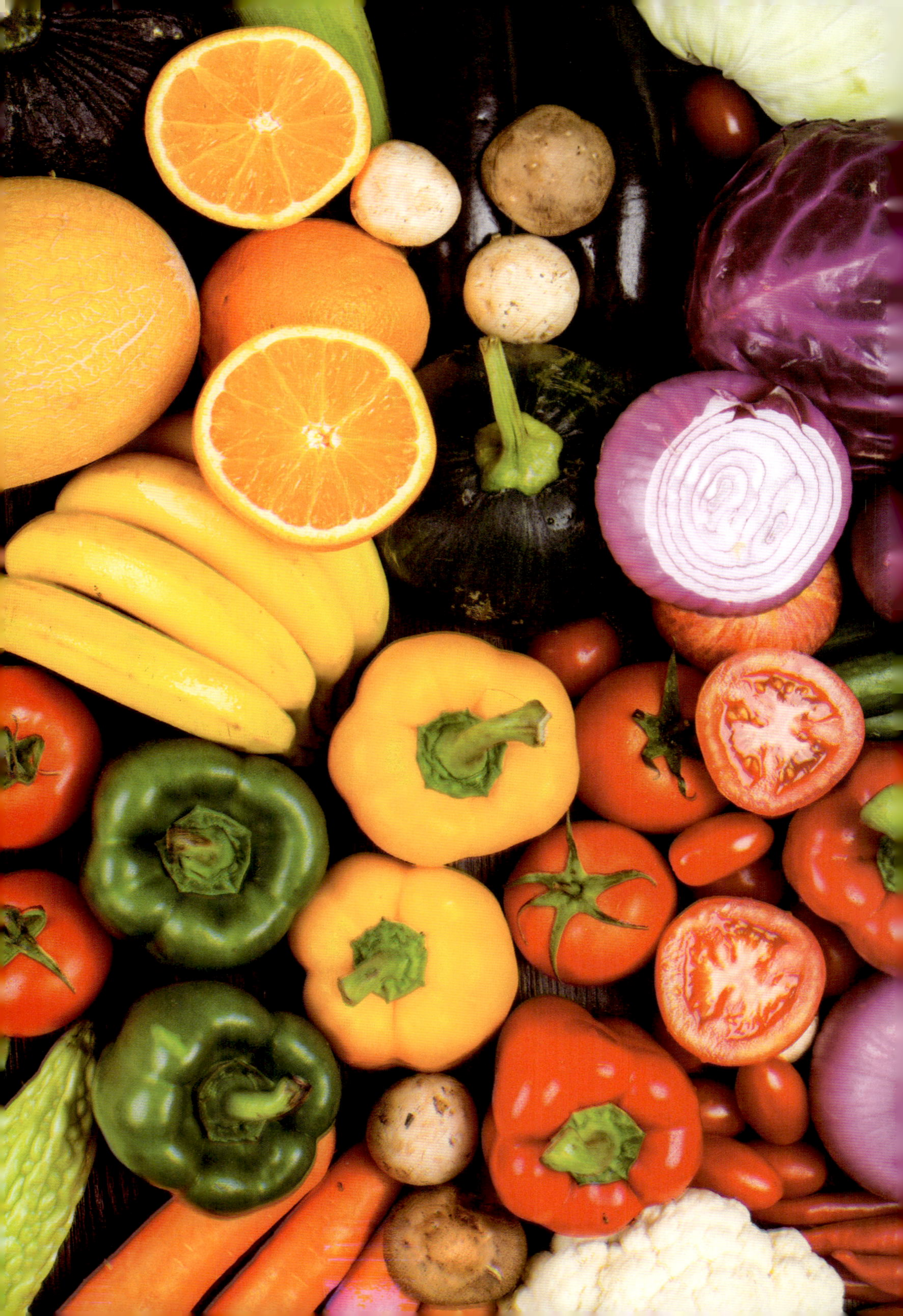

Os alimentos têm forte influência sobre o nosso organismo, e estes contêm a mesma frequência de energia parecida com aquelas contidas nos raios de cores. Não é à toa que recebem a energia do sol e, devido à sua composição química, aliada à influência da luz solar, desenvolve uma pigmentação que dá a eles sua característica peculiar.

A alimentação é uma ótima opção para quem quer se beneficiar com as cores dentro do próprio organismo, onde é possível se abastecer de alimentos que auxiliam nos tratamentos, seja ingerindo uma fruta ou legume com um tom de cor que possa trabalhar determinados aspectos físicos, emocionais, mentais e energéticos.

Existem alimentos que abrangem duas tonalidades de coloração, trazendo consigo essas duas energias. Um exemplo disso é o limão, que ora vamos encontrá-lo todo verde e, em alguns momentos, com uma parte amarelada. Neste caso, ele tem a energia do verde e do amarelo, valendo-se das duas tonalidades. Outro ponto importante é a sua composição química, que tem forte influência, fazendo, muitas vezes, com que o alimento tenha a força e a energia de outra cor.

> "OS ALIMENTOS VIVOS SÃO TODAS AS FRUTAS, VERDURAS, LEGUMES E SEMENTES, QUE CONTÊM TODA A ENERGIA PROVENIENTE DA NATUREZA. BASEADO NISSO, CADA ALIMENTO VIVO PROPORCIONA UM TIPO DE ENERGIA DENTRO DE NÓS, FAVORECENDO NOSSA SAÚDE E DISPOSIÇÃO"
>
> Marcelo U. Syring

A seguir, seguem os alimentos correspondentes às cores do espectro solar:

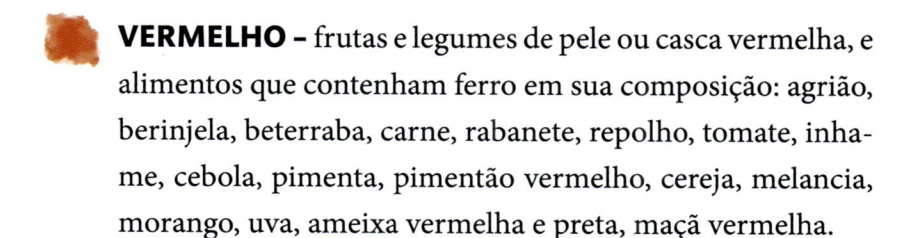

VERMELHO – frutas e legumes de pele ou casca vermelha, e alimentos que contenham ferro em sua composição: agrião, berinjela, beterraba, carne, rabanete, repolho, tomate, inhame, cebola, pimenta, pimentão vermelho, cereja, melancia, morango, uva, ameixa vermelha e preta, maçã vermelha.

LARANJA – vegetais e frutas de casca alaranjada: abóbora, cenoura, milho, laranja, tangerina, manga, pêssego, melão.

AMARELO – manteiga, gema de ovo, cenoura, batata e batata-doce, abóbora, milho, manga, banana, abacaxi, melão, limão, pêssego, frutas de casca amarelada e hortaliças amarelas.

VERDE – hortaliças verdes e frutas de casca ou pele verde (*kiwis*, limão, maçã verde etc.).

AZUL – frutas e legumes de casca ou pele azul, como também ameixa, amora, uva, passas, aspargo etc.

ÍNDIGO – os mesmos alimentos da cor azul.

VIOLETA – berinjela, brócolis, beterraba, uva roxa, aspargo e amora preta.

8

AS CORES E OS CRISTAIS

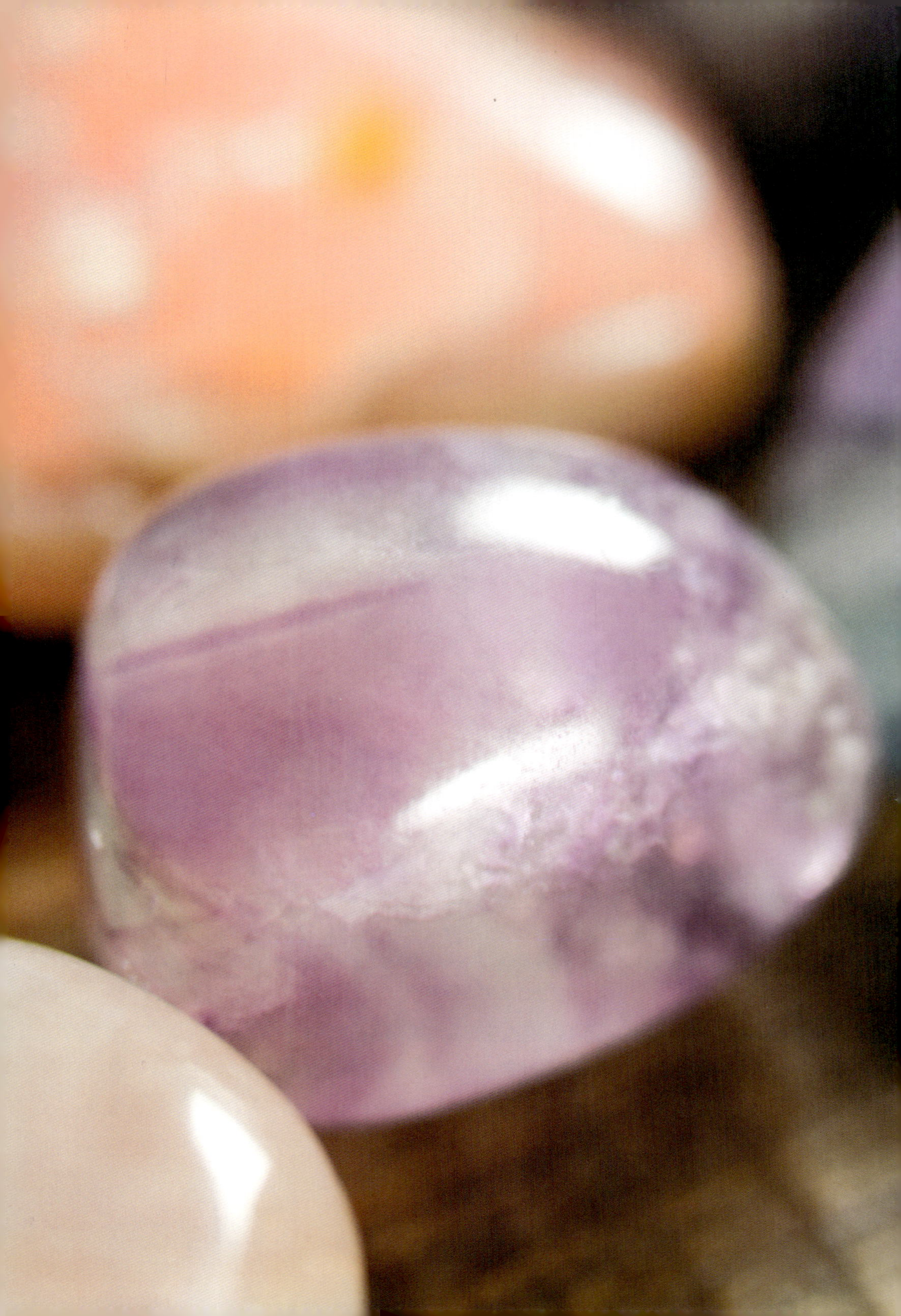

Os cristais são excelentes auxiliares nos mais diversos tratamentos. Utilizando-os de forma adequada e responsável, eles podem promover curas nas mais diversas áreas da sua vida, de maneira profunda.

Em relação à cromoterapia, os cristais podem ser utilizados em conjunto, pois potencializam os raios emitidos, podendo até encurtar o tempo de tratamento. Alguns bastões de cromoterapia possuem uma ponta de cristal de quartzo branco, onde este acaba fazendo diferença durante o tratamento, potencializando o efeito dos raios durante a terapia.

Outro ponto importante: as cores dos cristais influenciam até certo ponto durante o tratamento, sendo que é preciso levar em consideração a combinação química de cada tipo de pedra ou cristal a ser utilizado.

Cada cristal tem sua propriedade vibracional, podendo combinar essas propriedades com a cromoterapia, com o Reiki, a cura prânica, a radiestesia, entre outros tipos de terapias, consideradas naturais/integrativas. A seguir, segue a relação de cores e os cristais correspondentes:

VERMELHO – rubi, jaspe vermelho, cornalina vermelha, rubelita, granada vermelha, ágata vermelha e hematita.

LARANJA – quartzo laranja, calcita laranja, topázio, selenita laranja, cornalina laranja, berilo heliodoro.

"NO CONCEITO DA AYURVEDA (CIÊNCIA DA VIDA), O USO DOS CRISTAIS PARA TRATAMENTO É COMUM, E SUA ASSOCIAÇÃO COM AS CORES É BASTANTE FREQUENTE, PRINCIPALMENTE PARA TRATAR E ENERGIZAR OS CHACRAS E OS MARMAS"

Marcelo U. Syring

AMARELO – citrino, topázio, cornalina amarela, jaspe, olho de tigre.

VERDE – esmeralda, quartzo verde, turmalina verde, safira verde, amazonita, crisopázio, jade, malaquita.

AZUL – safira azul, lápis-lazúli, sodalita, azulita, calcita azul, fluorita, cianita, água-marinha e turquesa.

ÍNDIGO – lápis-lazúli, sodalita, fluorita.

VIOLETA – ametista, quartzo branco.

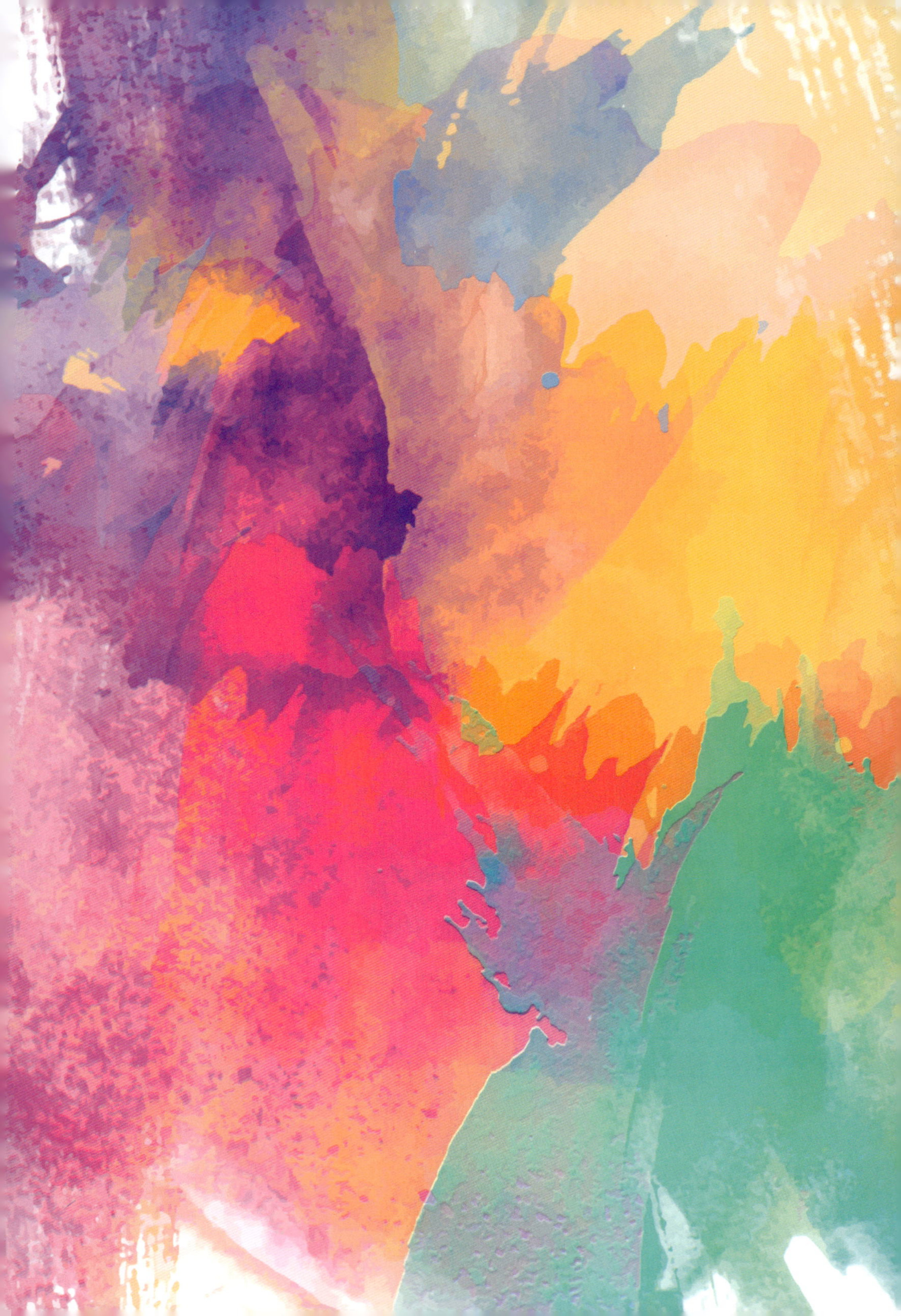

9

AS CORES E O VESTUÁRIO

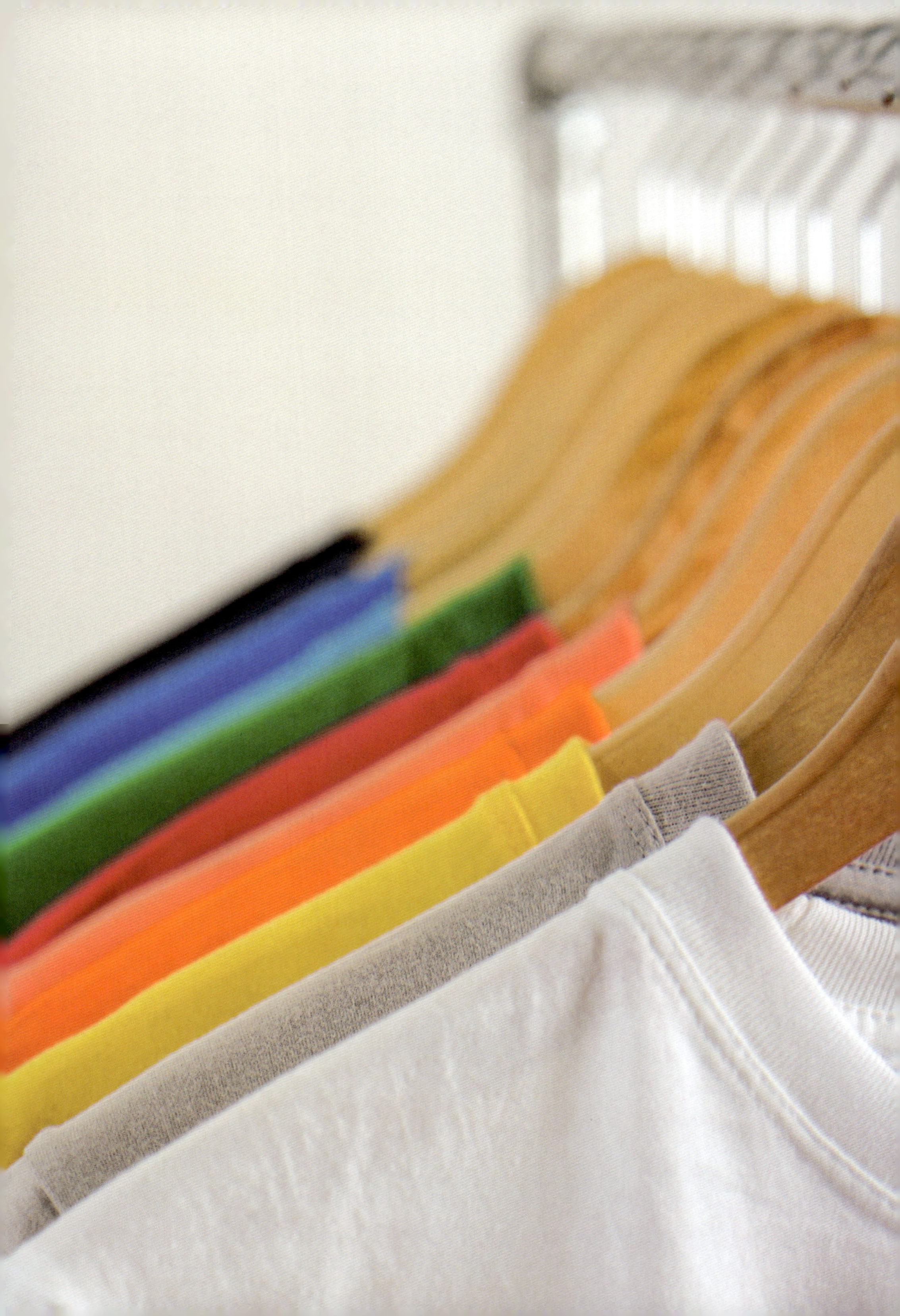

As cores nas roupas têm forte influência no nosso dia a dia, nos estimulando das mais diversas maneiras. Elas demonstram o nosso estado de espírito, nos ajudando a ter determinada ação ou atitude correspondente àquela cor, e nos mantendo assim enquanto estivermos usando-a, seja como camiseta, calça etc.

Vamos citar o exemplo da cor azul. Caso acorde com vontade de usar uma roupa com este tom, isso demonstra que o seu estado de espírito é de tranquilidade e harmonia, de quem quer ficar na frequência da calma e serenidade, proteção e inspiração. Quando você acorda e sente que precisa dessas características citadas acima, procure, então, utilizar uma roupa com essa tonalidade para atrair tais atitudes psicoemocionais para o seu dia a dia.

Cabe ressaltar que é importante medir nosso estado de espírito, pois com isso podemos usar roupas com as cores que podem mudar este estado em nós, fazendo com que possamos melhorar e promover a cura necessária no nosso campo físico, emocional, mental, energético e espiritual.

Roupas com cores mais quentes tendem a nos deixar mais agitados, enquanto que as roupas com cores mais frias tendem a nos deixar mais tranquilos.

"VESTIR UMA COR É UMA FORMA DE DIZER COMO ESTÁ NAQUELE DIA, OU NAQUELE MOMENTO DA VIDA. QUANDO VESTIMOS UMA ROUPA DE DETERMINADA COR, É COMO SE ENTRÁSSEMOS NAQUELA VIBRAÇÃO E ENCARNASSE AQUELA COR"

Marcelo U. Syring

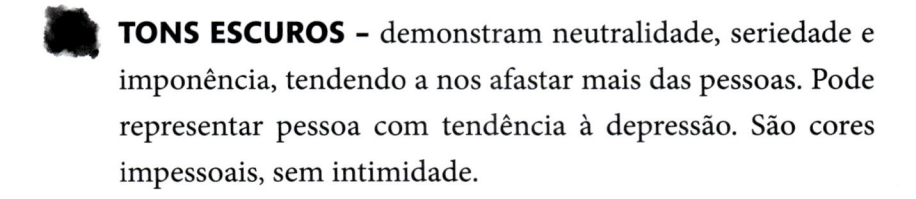

TONS ESCUROS – demonstram neutralidade, seriedade e imponência, tendendo a nos afastar mais das pessoas. Pode representar pessoa com tendência à depressão. São cores impessoais, sem intimidade.

TONS CLAROS – demonstram leveza e suavidade, influência sutil e harmoniosa, tendendo a nos aproximar mais das pessoas. São tons mais alegres e joviais.

ROUPA PRETA – demonstra bom caimento para pessoas obesas ou com alguns quilos a mais, mas também representa isolamento. Pode dizer também que a pessoa tem predisposição em não querer aparecer, preferindo ficar despercebida no ambiente.

ROUPA BRANCA – demonstra leveza e suavidade, sinceridade, pureza e transparência; é a cor da doação, da clareza de sentimentos e de ideias. Demonstra uma pessoa com tendência a ser prestativo com todos, sem qualquer distinção.

ROUPA VERMELHA – traz motivação e disposição. É indicada para práticas esportivas, pois dá mais força e energia. É um tom de roupa que ajuda a quem precisa ter (ou quem tem) muitas atividades diárias, pois acelera bastante o indivíduo no seu dia a dia. Roupas vermelhas, geralmente, chamam a atenção em qualquer lugar. Evite usar esta cor em momentos de apresentação ou palestras, pois, além de agitar, irá chamar mais atenção do que o conteúdo a ser abordado.

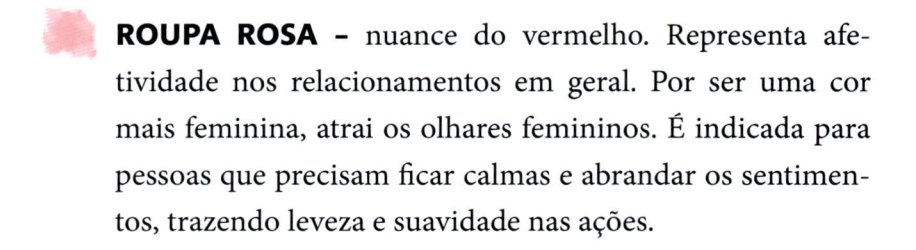

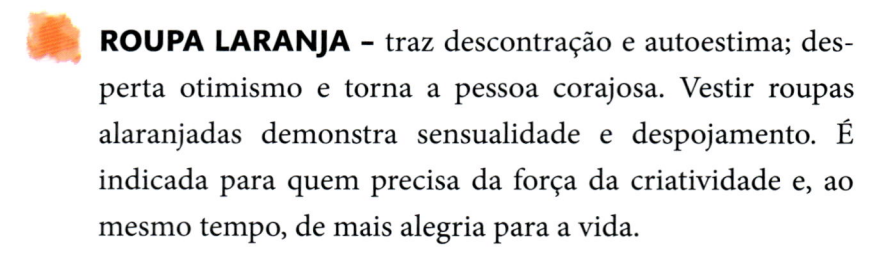

ROUPA ROSA – nuance do vermelho. Representa afetividade nos relacionamentos em geral. Por ser uma cor mais feminina, atrai os olhares femininos. É indicada para pessoas que precisam ficar calmas e abrandar os sentimentos, trazendo leveza e suavidade nas ações.

ROUPA LARANJA – traz descontração e autoestima; desperta otimismo e torna a pessoa corajosa. Vestir roupas alaranjadas demonstra sensualidade e despojamento. É indicada para quem precisa da força da criatividade e, ao mesmo tempo, de mais alegria para a vida.

ROUPA AMARELA – traz alegria, leveza, bom humor, e favorece a comunicação. É muito boa para pessoas que precisam de concentração, estudo, foco no trabalho e análise de processos.

ROUPA VERDE – traz equilíbrio e bom senso. É indicado para trabalhos mais elaborados e que necessitam de muita atenção. Pode ser usado em ambientes tensos; traz sucesso e prosperidade, atraindo oportunidades; proporciona serenidade no pensar, nos fazendo evitar atitudes espontâneas.

ROUPA AZUL – transmite a sensação de tranquilidade, serenidade e relaxamento perante o dia a dia. Proporciona sociabilidade, paz e harmonia interior, nos dando a sensação de estarmos protegidos e, consequentemente, de segurança.

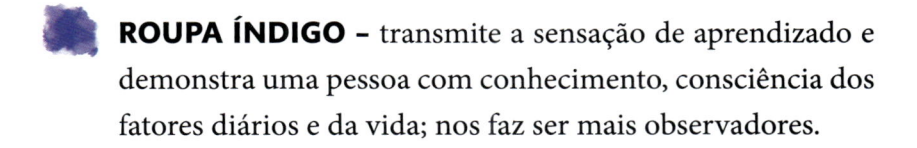

ROUPA ÍNDIGO – transmite a sensação de aprendizado e demonstra uma pessoa com conhecimento, consciência dos fatores diários e da vida; nos faz ser mais observadores.

ROUPA VIOLETA – traz sensação de poder, concentração, paz e elevação espiritual; sugere autoridade, acalma a mente. Essa cor, geralmente, é usada por pessoas de cargos elevados, espiritualmente falando.

ROUPA MARROM – acarreta firmeza e segurança. Seu uso é muito comum em organizações, junto com o preto e azul marinho. Representa seriedade, praticidade e maturidade.

ROUPA CINZA – demonstra estado de espírito depressivo, apatia; representa pessoa sem cor e sem vida, com estado energético depreciado, além de neutralidade e baixa autoestima.

ROUPA AZUL-MARINHO – por ser uma cor de caráter mais conservador, é usado em situações mais formais, principalmente, em reuniões, entrevistas, ou até mesmo para dar aulas.

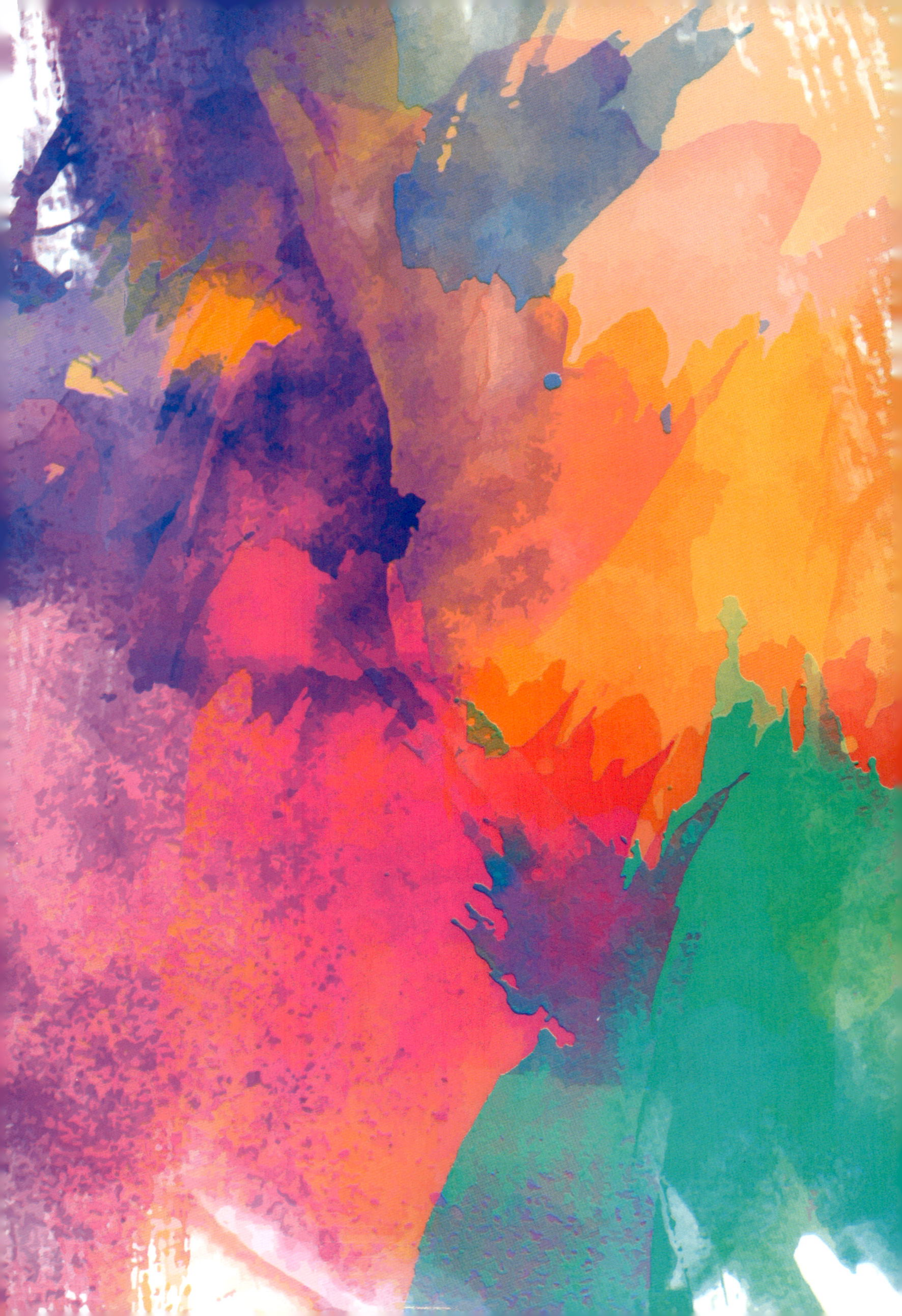

10

AS CORES E O AMBIENTE

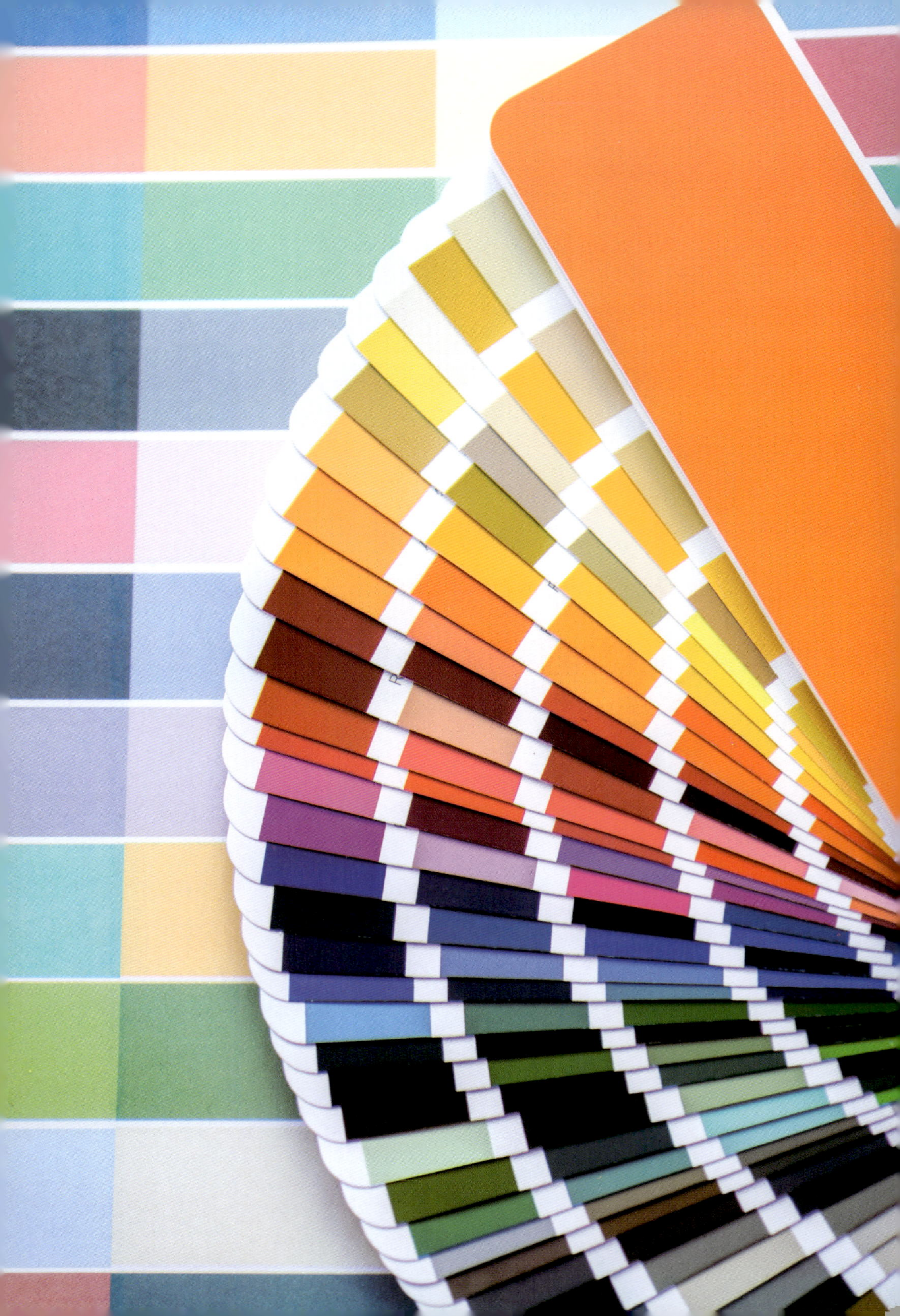

As cores podem ser empregadas tanto no ambiente corporativo (empresas) como no ambiente do lar (casa e apartamento). Em qualquer situação, elas provocarão estímulos interessantes para quem se encontra nesses locais. As cores podem fazer com que, numa empresa, os funcionários possam ficar mais relaxados, ou produzir e se concentrar mais em suas tarefas, como também pode fazer com que determinado dormitório no lar permaneça harmônico e tranquilo, propiciando, assim, descanso e relaxamento.

"AS CORES CERTAS NAS ÁREAS ADEQUADAS VÃO FAZER COM QUE TENHAMOS ESTÍMULOS FAVORÁVEIS PARA O SUCESSO, SEJA NOS NEGÓCIOS OU NA HARMONIA DO LAR"

Marcelo U. Syring

EMPRESA

VERMELHO – cor estimulante, de ação e movimento. Adequado para um ambiente em que a produção precisa ser rápida e dinâmica, com motivação e energia. Porém, cabe ressaltar que é uma cor que satura rápido, além disso, pode provocar nervosismo. É uma cor que evita a dispersão. Colocar algum detalhe, na cor vermelha, que fique visível, já é o suficiente. Trata-se de uma cor de avisos importantes e de grande comunicação visual, chamando a atenção em letreiros e anúncios.

LARANJA – promove energia e encorajamento. É uma cor ótima para os negócios, trazendo dinamismo aos funcionários, estimulando escolhas rápidas, sem incertezas. Em ambientes de alimentação, aumenta o apetite e o paladar. Assim como as demais cores quentes, beneficia bastante restaurantes e lanchonetes.

AMARELO – estimula a mente, traz alegria, sendo benéfico para ambientes que precisam ativar a intelectualidade e uma grande atividade mental dos funcionários. É uma cor que favorece locais como escritórios de administração, salas de leitura, salões de cabeleireiro, lojas de roupas, sendo boa para a comunicação visual.

VERDE – cor de equilíbrio e estabilidade, adequada para ambientes que exijam precisão e atenção. É considerada a melhor cor para um ambiente de produção (fábrica ou indústria), pois ameniza o estresse, beneficiando funcionários que estão sob calor e pressão. Trata-se de uma cor de sucesso para os negócios, proporcionando integração entre os colaboradores internos; também está associada a locais que envolvam a área da saúde. O verde não é recomendado em escritórios e ambientes administrativos.

AZUL / ÍNDIGO – cor suave e calmante, que traz paz e tranquilidade. É adequada para ambientes como sala de espera e recepção de uma empresa, proporcionando acolhimento. Essa cor é favorável para locais onde os funcionários precisam de descanso. De boa comunicação visual, pode ser usada em fachadas, representando seriedade e transmitindo sensação de confiança.

VIOLETA – cor de poder, nobreza e suntuosidade. É ideal para diretoria, pois reforça a sensação de autoridade. Pode ser usada em salas de ambientes *vip* e estabelecimentos comerciais que queiram passar um "ar" de elevação e grandiosidade.

LILÁS – favorece criatividade. É uma cor ideal para ambientes de projetos e *marketing*. Trata-se da cor da beleza, sendo ideal para lojas de produtos de beleza; também é favorável para ambientes que precisam de certo ar mais espiritual.

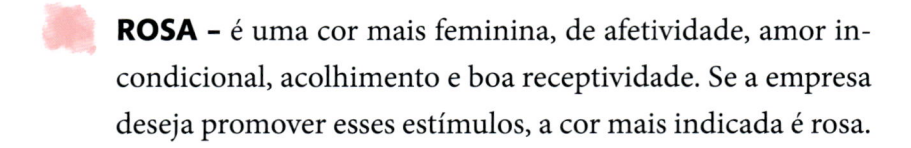

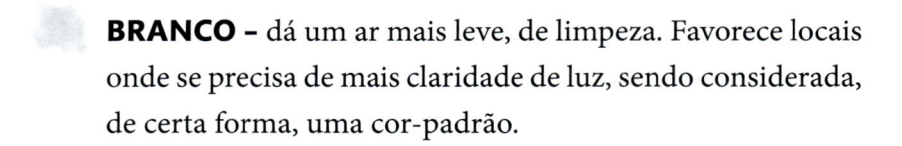

ROSA – é uma cor mais feminina, de afetividade, amor incondicional, acolhimento e boa receptividade. Se a empresa deseja promover esses estímulos, a cor mais indicada é rosa.

BRANCO – dá um ar mais leve, de limpeza. Favorece locais onde se precisa de mais claridade de luz, sendo considerada, de certa forma, uma cor-padrão.

PRETO – alguns estabelecimentos comerciais têm adotado essa cor de fachada, e até mesmo no seu interior, em algumas áreas. É uma cor que pode remeter sofisticação ou ainda um ar de "proteção" ao local. Porém, ao mesmo tempo, pode apresentar características de individualidade e intimidação, além de dar uma ideia que estão escondendo ou ocultando alguma coisa.

MARROM – é a cor da terra. O marrom sugere um ambiente de segurança e confiabilidade. Os tons mais suaves, como o castanho ou o bege, por exemplo, são indicados para atendimento ao cliente ou locais cujo balcão seja nesta cor, pois o contato com ela sugere maior confiabilidade. O marrom é ideal para negócios imobiliários, principalmente, vendas, porque representa solidez de investimento. Já os tons escuros podem estimular a depressão.

RESIDÊNCIA

A faixa etária de cada pessoa que vive em um ambiente deve ser considerada, para que possa haver harmonia no uso das cores. Para locais de pessoas jovens, as cores alegres são indicadas; no caso de crianças, cores variadas e mais fortes caem bem, pois promovem diversos estímulos; pessoas de média idade gostam de cores suaves, sem deixar de faltar algum colorido, para dar um toque de bem-estar; pessoas com mais idade podem usar cores suaves, tornando o ambiente agradável.

No caso de decoração no lar, escolha cores que possam deixar o ambiente mais acolhedores e agradáveis possível. Além das cores nas paredes, você pode colocar objetos para complementar, a fim de deixar o ambiente mais harmônico possível. Além de objetos na decoração, é possível colocar luminárias com cores que promovam uma sensação agradável ao local.

BRANCO – torna o ambiente mais leve e agradável; não provoca saturação e dá a sensação de espaço. Pode ter uma cor-padrão, e fazer a decoração com cores diversas, ou de sua preferência. Na cozinha e no banheiro, sugere higiene e limpeza.

MARROM – indica confiança e segurança. Os móveis e objetos de cor marrom proporcionam firmeza e solidez. O bege (tom mais claro do marrom) torna o ambiente mais leve.

CINZA – o ambiente com essa cor demonstra neutralidade. Se for num tom bem mais claro, não é ruim; mas se for num tom escuro, pode estimular a tristeza e a depressão. Portanto, não é uma cor muito aconselhada nos ambientes.

VERMELHO – com alto grau de saturação, seu uso deve ser moderado. Alguns detalhes em vermelho, no ambiente, já são suficientes. Locais com essa cor, geralmente, não são monótonos.

LARANJA – essa cor estimula as glândulas salivares, dá um paladar aguçado. Pode ser usada na cozinha, em conjunto com o branco, pois aumenta o apetite. Não é uma cor adequada para o quarto, pois atrapalha o sono. Para pessoas que têm problemas respiratórios e medos noturnos, a iluminação alaranjada suaviza tais situações.

AMARELO – é recomendado na cozinha, pois cria um ambiente agradável e alegre, além de descontraído. Essa cor pode ser usada em objetos para compor o ambiente da sala. Outro local adequado para usar é o banheiro, pois proporciona o despertar da pessoa.

VERDE – cria um ambiente equilibrado e alivia o estresse diário, ajudando na recomposição energética. É uma boa cor para a sala. Na cozinha, proporciona boa digestão. No quarto, traz harmonização em todos os sentidos. Pode-se colocar uma luz verde no quarto, pois irá permitir uma noite restauradora, além de ser boa também para quem precisa dessa vibração de cura.

AZUL / ÍNDIGO – pode ser usada como decoração no quarto, criando uma atmosfera de calma, tranquilidade e relaxamento, proporcionando um sono tranquilo e reparador. Para isso, deixe uma luz azul acesa durante a noite, já que o azul auxilia a quem tem problema de insônia; também pode ser empregada na sala, pois é aconchegante e acolhedora.

VIOLETA – o ambiente que tem essa cor adquire características de luxúria, suntuosidade, além de um toque espiritual. Proporciona requinte e sofisticação, além de deixar a vibração elevada. É uma cor que reduz o apetite, favorecendo quem está fazendo regime alimentar. Para isso, coloque objetos dessa cor na cozinha.

ROSA – sugere ambiente com características de aconchego, tranquilidade, afetuosidade e tranquilidade. Ambiente com esta cor estimula a pessoa a ser mais amorosa e carinhosa, pois possui uma energia mais feminina.

"O AMBIENTE DA CASA FALA UM POUCO DO QUE NÓS SOMOS, POIS O LOCAL ONDE MORAMOS, GERALMENTE, REPRESENTA UM REFLEXO DA CASA INTERIOR DE CADA UM DE NÓS"

Marcelo U. Syring

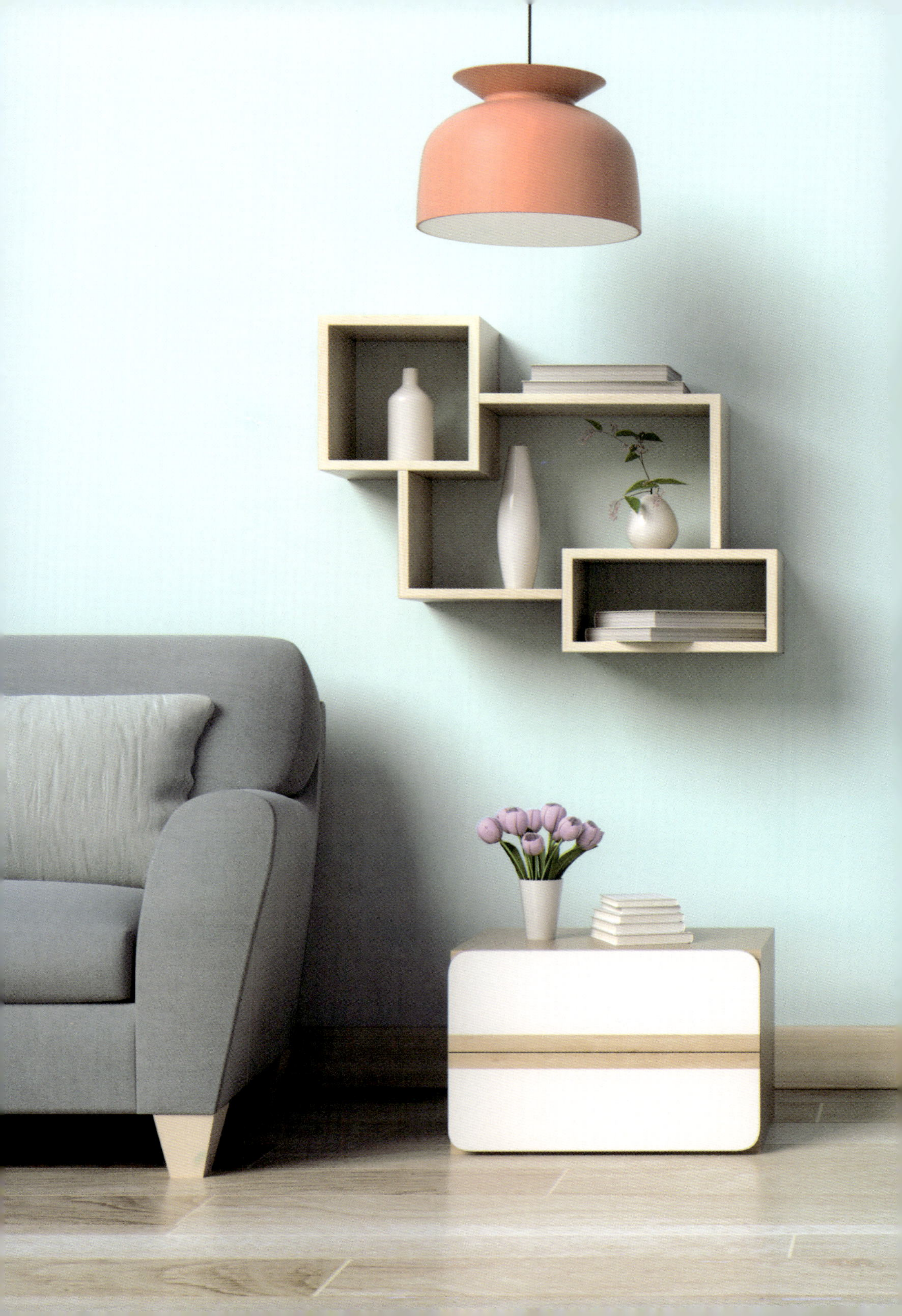

FORMAS DE APLICAÇÃO (COMO USAR)

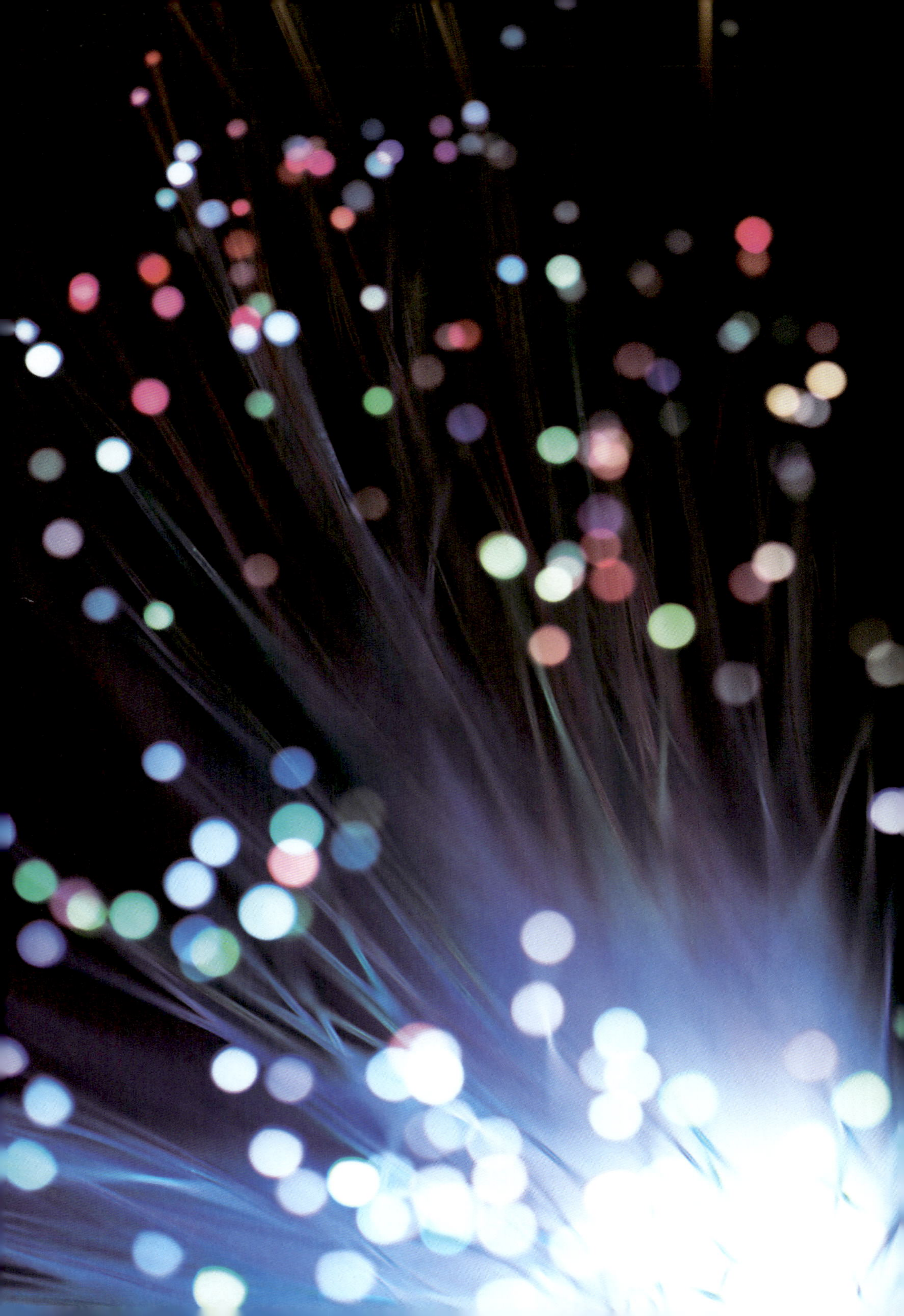

Dentro deste Universo das cores, a aplicabilidade delas pode ser feita das mais diversas formas. Quando perceber que determinado ambiente da casa está precisando de um "novo ar", você pode pintar uma parede para proporcionar um estímulo diferente, ou decorar com alguns objetos coloridos, ou ainda colocar uma lâmpada de led com controle remoto com a cor desejada naquele momento. Para aqueles que desejam usar as cores para tratamento, como nas terapias integrativas/naturais, existe o bastão de cromoterapia para essa finalidade.

Caso sinta que para determinada finalidade tenha que estar relaxado, confiante e atento, também é possível empregar determinada cor. Existem algumas que irão ajudar você a ter essas sensações durante aquele momento.

Por exemplo, se vai a uma reunião de negócios e tem que negociar algo, você pode colocar sobre a mesa um objeto na cor laranja, a fim de promover o estímulo visual necessário, para que as coisas possam fluir e seja bom para todos.

Outro exemplo, é quando você precisa resolver uma questão de âmbito familiar e necessita estar relaxado e tranquilo, com a sensação de se sentir calmo e protegido, basta usar uma camisa na cor azul e terá essa sensação que está buscando.

Outra forma de usar as cores para que elas tenham um efeito é através de uma técnica chamada projeção de tela mental (PTM). Nossa mente consegue, através de visualizações de determinada cor, fazer com que você sinta, naquele momento, como se ela estivesse agindo sobre si mesmo, possibilitando as mudanças e ações necessárias, ou seja, ao visualizar a cor, você receberá os benefícios dela naquele momento.

APLICAÇÃO DAS CORES EM ANIMAIS DE ESTIMAÇÃO

Hoje, existem inúmeros recursos para cuidar e dar qualidade de vida ao seu animal de estimação, e o tratamento que envolve as cores, é um grande aliado na cura de determinadas doenças, e até mesmo para acalmar ou proporcionar a eles tranquilidade.

Na aplicação das cores, pode-se usar o bastão de cromoterapia como ferramenta, e ainda uma lâmpada colorida, que pode ser comprada em qualquer loja de material de construção, ou mesmo em supermercados. Uma vez que você conhece o significado das cores, a aplicação no animal de estimação não é diferente. Ao fazer o tratamento com as luzes, você vai perceber uma resposta rápida aos efeitos do tratamento neles, ou seja, se acalmam e ficam cada vez melhores, mais tranquilos e relaxados.

Eu, particularmente, tenho dois gatos como exemplo. Uma fêmea, chamada Shanti, e um macho, chamado Xamã. Quando os adotei, eles ainda estavam tomando medicação, além disso, estavam frágeis e inseguros. Como cromoterapeuta, realizei algumas aplicações para acelerar o processo de equilíbrio e melhora. Os resultados foram maravilhosos, a ponto de se recuperarem de forma bastante rápida. Um outro exemplo aconteceu quando os gatos estavam muito agitados. Neste caso, apliquei as luzes verde e azul, e, alguns momentos, a violeta. Era notório como ficaram mais tranquilos e sonolentos.

    O que quero dizer aqui, é que você não deve ficar aplicando as cores somente com o intuito de acalmar seus companheiros *pets*, mas em um momento de necessidade, seja por alguma doença ou desconforto apresentado por eles. A aplicação das cores, através da cromoterapia, com certeza dará retorno garantido de qualidade de vida e bem-estar ao seu animal.

APLICAÇÃO NA CROMOTERAPIA

Dentro da cromoterapia, podem ser utilizadas diversas formas de aplicação. Cada escola ensina a sua técnica, a qual se sente mais confortável ou considere mais adequada, de acordo com a sua filosofia de ensino. Cada autor de livro ensina sua técnica, conforme suas experiências neste campo de trabalho.

Entretanto, cabe ressaltar que não existe uma regra ou norma preestabelecida, ou seja, cada terapeuta emprega da maneira que achar melhor, de acordo com o quadro que será apresentado mais adiante seguir.

Existem protocolos que alguns terapeutas montam para facilitar na hora de aplicar a técnica em uma pessoa, em um determinado problema ou doença. Entretanto, não vai aparecer alguém com um problema apenas para que você utilize o protocolo, mas sim com um conjunto de situações onde um protocolo estabelecido de aplicação das cores não seja o suficiente. Neste caso, recomendo que, quando a pessoa for apresentar sua queixa, que você aplique o tratamento conforme os seus estudos, dentro dos parâmetros colhidos sobre o problema desta pessoa, utilizando a que for mais adequada para aquele momento. Essa é a melhor forma de tratar alguém através das cores.

Outro ponto importante que precisa ser observado dentro da cromoterapia é o tempo de aplicação. Não existe uma regra preestabelecida sobre o tempo específico para cada cor. Tudo vai depender do equipamento disponível e da necessidade de aplicação de cada pessoa. Por exemplo: se você usa uma lanterna cromoterápica que não tem ponta de cristal, o tempo de aplicação será um; ao usar um bastão de cromoterapia com o mesmo efeito, porém com a ponta de cristal, o período será outro. Outro exemplo: se uma pessoa relata que está com dor de cabeça, e você resolve aplicar a cor verde para aliviar a dor, o tempo de aplicação será um; se vier outra pessoa com problema de câncer no fígado, o tempo de aplicação com a mesma cor será outro.

> **RESUMINDO:**
> **Tudo vai depender da causa, do problema que chega até você, e conforme o seu conhecimento e experiência, será determinado o tratamento, e quais as cores adequadas para cada caso.**

Agora, o que é praticamente regra em todas as aplicações dentro da cromoterapia, é que o tempo de aplicação das cores quentes é menor do que as cores frias.

Quanto mais quente a cor, menor o tempo de aplicação; e, quanto mais fria a cor, maior o tempo de aplicação. Isso é consenso entre, praticamente, todos os cromoterapeutas.

Sobre a quantidade de cores, não existe contraindicação. Porém, usar apenas uma cor pode não ser suficiente para a melhora, já que não podemos esquecer que o ser humano tem nuances e problemas a serem considerados.

Outro ponto importante é a forma como é realizado o movimento das cores durante o tratamento. A aplicação pode ser linear, circular, no sentido horário ou anti-horário, com uma boa distância ou mesmo próximo à pessoa.

A seguir, seguem algumas dicas de uso da cromoterapia, as quais costumo passar para os meus alunos, a fim de que seja feito durante uma sessão de tratamento:

- No caso de a pessoa se deitar em uma maca ou cama, sempre a cubra com um lençol branco. Neste local, ela precisa estar confortável e relaxada, pois isso é importante durante o processo;

- Você pode aplicar as cores diretamente nos chacras. Entretanto, é importante salientar quais deles precisam ser tratados;

- Se você for usar o bastão a uma distância de 30 cm ou mais, lembre-se de que você está tratando mais o campo áurico da pessoa; se for usar o bastão a uma distância de 5 cm ou menos, está tratando mais o duplo etéreo e o físico do indivíduo;

- Se for aplicar as cores nos olhos, mantenha uma distância de 10 a 15 cm; também, se a pessoa preferir, ela pode fechar os olhos;

- Evite tocar o bastão diretamente na pessoa, a não ser que seja necessário;

- No caso de cores quentes, tenha a percepção de a cor já ter atingido o seu resultado, e siga para a próxima, evitando usar a mesma demasiadamente;

- **UMA DICA:** utilize, geralmente, de 3 a 6 cores durante a aplicação;

- O bastão de cromoterapia tem o seu efeito potencializado com a ponta de cristal. Com este dado, podemos entender que o tempo de aplicação deve ser menor do que o normal; Enquanto você trata uma área, pode deixar uma luminária com outra cor, a fim de auxiliar no tratamento (exemplo: azul, verde ou violeta);

- Continue estudando, pois devemos estar sempre atualizados em relação ao que fazemos.

PROJEÇÃO DE TELA MENTAL (TÉCNICAS DE PROJEÇÃO MENTAL)

Este é um dos recursos mais interessantes e, com certeza, bastante eficaz. A projeção de tela mental é uma forma de fazer com que a pessoa visualize aquela cor (ou conjunto de cores), dependendo da vivência que você vai fazer. Como abordado no capítulo A Natureza da Luz, a neurociência explana como uma percepção de cor faz com que ocorra um grande caminho em pouquíssimo tempo, já causando resposta emocional. Embora tenhamos esse conhecimento, ao fecharmos os olhos e lembrarmos uma cor, vamos perceber que esses efeitos neurológicos funcionarão do mesmo jeito, ou seja, nós teremos a mesma resposta emocional, frente àquela cor ou o conjunto de cores.

Isso significa que, se temos o mesmo tipo de resposta para a mesma experiência, ainda que seja com os olhos fechados, podemos fazer todo o processo de visualizações com as cores para ativar determinadas emoções e sentimentos, com o intuito de curar feridas interiores, mudar o estado de humor e ativar potenciais ocultos.

Por exemplo: se você estiver trabalhando em determinada vivência, para melhorar a prosperidade, pode usar técnicas que vão fazer com que visualize cores dentro dessa vibração de prosperidade e abundância (que são o dourado e o amarelo). Logo, veremos alterações consideráveis no estado de energia, ânimo e psicoemocional da pessoa, ou seja, ela se sentirá melhor e com um estado de vibração adequado para alcançar sucesso naquilo que almeja.

> **"USE O DOURADO PARA ATIVAR A SABEDORIA QUE HABITA EM SUA ALMA, E DEIXE-O FLUIR RUMO AO SUCESSO QUE VOCÊ BUSCA E MERECE!"**
>
> Marcelo U. Syring

Há muitas formas de fazer esse processo: em um momento de meditação, em uma vivência individual ou coletiva, em alguma atividade cuja finalidade é de melhora e harmonia interior, no consultório, no seu espaço etc. Ele também pode ser realizado por meio de visualização na tela mental quando você for fazer qualquer prática de cunho terapêutico, seja Reiki, passe magnético, energização com as mãos, ou mesmo outra forma energética. À medida que vem à mente a cor que deseja usar na aplicação, ela entrará em ação. Se você tiver a ideia de utilizar determinada cor e, no momento da aplicação vem outra na sua tela mental, perceba atentamente que a pessoa, na verdade, precisa mais daquela energia do que da energia da outra frequência de cor.

Vamos a um exemplo: se você tiver a intenção de aplicar a cor verde em uma pessoa e, durante a técnica, vir fortemente a cor laranja, é porque ela precisa, naquele momento, da vibração do laranja. Isso, por si só, já responde algumas coisas, pois pode haver um bloqueio de energia, ou mesmo por ela estar precisando de coragem ou de mais alegria e criatividade para superar a situação vivida naquele momento da sua vida. Outro exemplo, é quando você vai meditar e quer fazer um trabalho de visualização da cor amarela, mas, por alguma razão, vem à sua mente a cor violeta. Isso demonstra que você precisa muito mais do processo de transformação e de espiritualização, de trabalhar o seu lado mental por outro viés, como transmutar pensamentos que estão estruturados e precisam ser modificados.

12

PRÁTICA COM AS CORES

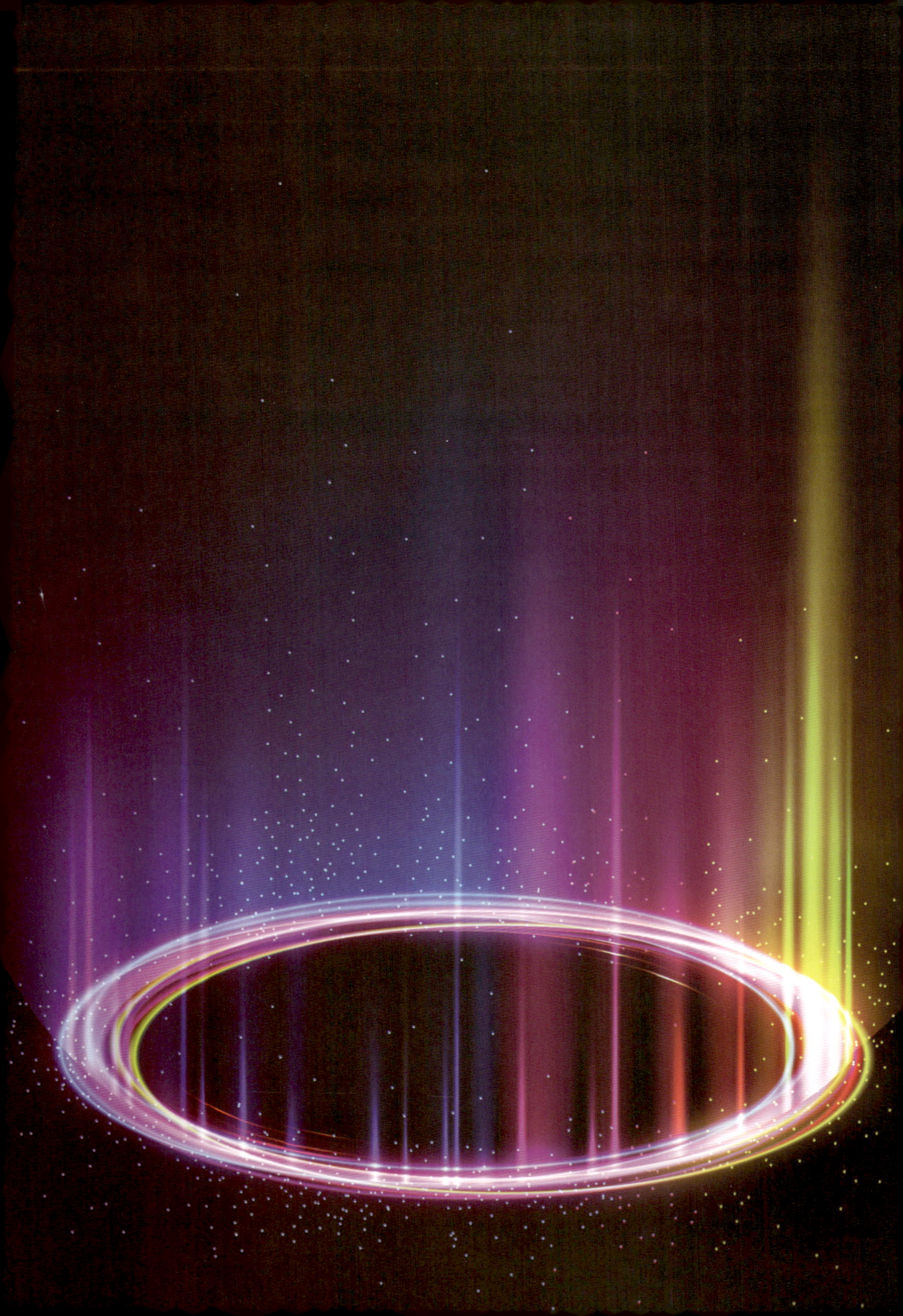

A seguir, teremos alguns exemplos práticos que você pode realizar no seu dia a dia, e que, pela minha experiência, funcionam muito bem. Porém, toda e qualquer vivência que você faça precisam ter alguns requisitos básicos para que deem certo, que são: disposição, entusiasmo e disciplina. Com o tempo, você vai percebendo o efeito que isso causa no seu cotidiano e nas suas relações, e como tudo vai ficando benéfico e, principalmente, deixando-o mais saudável.

A primeira dica que dou para essas práticas é: **arrume tempo para você**. Mesmo com a correria do dia a dia, sempre damos um jeito de conseguir um momento para nós, pois não temos mais a desculpa de que não temos uma ocasião adequada para isso ou para aquilo, ou seja, sempre damos um jeito para fazer alguma coisa. A dedicação é uma grande aliada para quem quer algum resultado na vida.

Outra dica é: **tenha uma trilha sonora para suas vivências**. Isso auxilia na concentração e direção da prática que você quer fazer. Não existe música certa ou errada, há a música que tem a sintonia que você precisa para alcançar o seu objetivo. É importante dizer que, em um trabalho que exige tranquilidade e concentração, não adianta usar uma música agitada e barulhenta. Nesses casos, sugiro o bom senso.

A última dica, e a mais essencial: **se desconecte**. Ao fazer suas práticas, que seja em lugar tranquilo e calmo para você, livre de celular, de barulho, ou até mesmo de pessoas. Isso mesmo! Avise aos familiares que você precisa de um tempo para você.

> **"SE VOCÊ QUER SER BEM-SUCEDIDO, PRECISA TER DEDICAÇÃO TOTAL, BUSCAR O SEU ÚLTIMO LIMITE E DAR O MELHOR DE SI"**
>
> Ayrton Senna

PRÁTICA PARA LIMPEZA DA SUA ENERGIA DEPOIS DE UM DIA DE TRABALHO

Essa prática é simples, e ajuda bastante no momento que você chega à sua casa, após o trabalho, ou até mesmo depois de um dia agitado e cansativo. Ela auxilia na limpeza energética, dando uma sensação de calma e promovendo um momento de conexão com a espiritualidade. É importante cuidar das energias que levamos para dentro de casa depois de encarar os desafios diários, porque vai junto tudo aquilo que aconteceu, e todas essas influências vão, aos poucos, contaminando o nosso lar; isto é, a origem de alguns problemas que ocorrem dentro da família estão naquilo que trago de fora para dentro.

Ao tomar banho, reserve cerca de 2 a 3 minutos para você, e visualize, na sua mente, a cor violeta, como se ela estivesse caindo em forma de água. Depois, visualize, por 2 a 3 minutos, uma cor que traga tranquilidade (pode ser o azul ou verde). Ambas as cores darão calma a você, ajudando-o a relaxar a musculatura, trazendo equilíbrio e serenidade para que possa curtir o seu lar e a sua família.

PRÁTICA PARA TER MAIS ENERGIA E DISPOSIÇÃO

Sabe aqueles momentos nos quais você precisa de energia para suas tarefas diárias e, principalmente, para cumprir com as metas daquele dia? Pois é, essa prática é essencial para quem busca força e motivação. E ainda vale um comentário: na maioria das vezes que você executa uma tarefa desgastante, algo que, naturalmente, não gosta de fazer, o desdobramento ocasionado disso é o consumo exagerado de energia, o que, por si só, já promove irritação, descontentamento, raiva, tristeza, entre outras coisas. Portanto, esteja atento a esse detalhe!

Antes de qualquer atividade diária, sente-se em um lugar confortável e coloque uma música tranquila. Aos poucos, visualize, na sua tela mental, uma luz na cor laranja, com pequenos raios em tom avermelhado, como se fosse um grande sol. Perceba que esse sol emite pulsos de energia indo na sua direção, e esses pulsos vão limpando você energeticamente, dando mais disposição e criatividade para cocriar o seu Universo. Essa prática demora, no máximo, 5 minutos. Lembre-se de agradecer por essa energia dar disposição para seu dia ser mais produtivo.

PRÁTICA PARA TER UM RELACIONAMENTO MAIS SAUDÁVEL E FELIZ

Quando estamos em desarmonia com alguém, seja em casa, na relação amorosa, ou com uma amizade, essa prática é essencial para quebrar essa sintonia ruim. É importante ressaltar que, quando há divergência entre as pessoas, o mais importante não é buscar um culpado, e sim, entender que há equívocos que podem ocorrer com qualquer um, inclusive com você. Muitas vezes, a pessoa, ou mesmo você, não estava bem naquele dia ou naquele momento, mas quando a gente precisa entender a situação, a prática sugerida purifica os sentimentos negativos que ficaram em razão daquela situação.

Para começar, sente-se em um lugar tranquilo e coloque uma música suave, que possa remeter a um estado de calma. Aos poucos, visualize, no centro do seu peito, uma luz rosa brilhante, irradiando luz para todos os lados. Depois, você visualiza, na sua frente, a pessoa com a qual tem problema de relacionamento. Sinta que essa luz rosa que brota no centro do seu peito vai irradiando fortemente em direção a essa pessoa, como se você estivesse transmitindo toda a amorosidade que você tem por ela, e se sentir vontade de pedir perdão, mesmo que não saiba o motivo, o faça.

PRÁTICA PARA TER MAIS PROSPERIDADE NA VIDA

Essa prática faz com que você quebre padrões de estagnação e de vitimismo, pois, para ser próspero, você precisa vibrar dentro dessa sintonia, deixando de lado o negativismo. Aqui, você vai mudar seu estado de energia e disposição, passando a acreditar na sua força e a ter a capacidade de alcançar tudo aquilo que almeja de bom para sua vida; ativando sua sabedoria de alma e força interior para alcançar suas metas.

Em um lugar calmo e com música suave, utilize alguma roupa da cor amarela, e passe a visualizar uma bola de luz dourada. Sinta a energia que vem dessa bola e, aos poucos, veja ela se integrando a você, como se ambos fossem uma única coisa. Neste momento, imagine tudo aquilo que você deseja para a sua vida, como se já estivesse acontecendo, e aprecie o sentimento que vem pra você ao conceber essas imagens na sua tela mental. Observação: se puder, nessa prática, tenha nas mãos uma pedra chamada "pirita", pois ela reforça todo o processo de atração.

PRÁTICA PARA ALCANÇAR A CURA DE ALGUMA DOENÇA

A cura ocorre quando nos conscientizamos de que estamos doentes e precisamos mudar a nossa frequência. Essa prática vai ajudar você a transformar a sua energia interna e a equilibrar o seu estado físico, mental, emocional e espiritual. O processo que envolve o seu restabelecimento tem muita relação com a mudança de hábitos e comportamentos na sua vida, e isso aliado a fatores como pensamentos e sentimentos em sintonia com a luz vão fazer com que você alcance sua cura. Aqui, você pode, além de usar as cores verde e azul, no final, acrescentar a cor violeta. Muitas vezes, a doença precisa nos mostrar que o caminho que trilhamos foi feito por uma escolha equivocada, e baseada, em alguns casos, no que os outros desejavam para a nossa vida, e não no que realmente queremos. Uma vez que compreendemos todo esse panorama, identificamos que é preciso fazer uma mudança de rota e saber, de fato, qual trajeto seguir em direção ao nosso propósito de vida, um caminho que dê nos um novo sentido.

Em um local tranquilo e com uma música suave, comece a sua visualização num lugar em meio à natureza (onde você tem mais afinidade). Respire suavemente, mas de forma profunda, por três vezes. Depois, visualize uma chama de luz violeta na sua frente, como se fosse uma clareira, e adentre nessa chama, aguardando por 1 minuto. Depois, saia e agradeça a "limpeza", e visualize o verde ao redor, sentindo toda a energia. Por fim, visualize a cor azul, e faça o seu agradecimento.

PRÁTICA PARA LIMPEZA E PROTEÇÃO CONTRA FORÇAS ESPIRITUAIS NOCIVAS

Essa prática funciona muito bem quando estamos numa situação em que sentimos influências espirituais pesadas, na qual precisamos nos blindar para não sermos atacados. Para isso, é importante ter em mente o seguinte: todo e qualquer ataque espiritual não ocorre do nada, ou seja, existe algo que o motiva, a fim de que algo ou alguém nos ataque. Por isso, é fundamental que tenhamos atitudes pacíficas e compaixão pelas pessoas, pois quanto mais pudermos evitar problemas, melhor.

Escolha um local e coloque uma música suave. Visualize a cor prata e sinta o envolvimento dessa cor dos pés à cabeça, ao mesmo tempo que vai limpando sua aura de toda influência negativa de âmbito espiritual. Depois disso, faça uma visualização da cor azul, como se fosse uma esfera de luz que começa a se formar em sua volta. Neste momento, alimente-se de pensamentos e sentimentos positivos, com o objetivo de fortalecimento da sua fé e confiança.

PRÁTICA PARA MELHORAR SUA CONEXÃO ESPIRITUAL

A execução desse exercício ajuda a pessoa no seu contato com as forças espirituais mais elevadas e sutis. Nessa situação, o contato espiritual nos auxilia a buscar o autoconhecimento, a auto-observação, a busca por evolução e crescimento espiritual, de melhorar enquanto pessoa, e de ter um padrão de vibração mais elevado neste mundo, compreender sua missão de alma nesta vida.

Num lugar confortável e tranquilo, com uma música suave, visualize um lugar de natureza, com plantas e flores, e que seja agradável para você. Em seguida, visualize a luz violeta como ancoramento de uma energia mais espiritual, no topo da sua cabeça. Depois, visualize, na região frontal da sua cabeça, uma luz índigo saindo e se espargindo de maneira tranquila e suave. À sua volta, pense numa aura dourada e prateada circundando todo o seu ser, e, no centro do seu peito, uma luz rosa saindo, como se fosse um farol. Ao final, escreva num papel as sensações, sentimentos, imagens e palavras que surgiram durante a sua vivência.

OBSERVAÇÃO

As práticas citadas visam, também, um aspecto interessante, que é a conexão com as nossas forças superiores, a nossa crença e a nossa fé, não apenas no invisível, mas na luz que temos dentro de nós. Vale lembrar que elas são fáceis de executar, não sendo preciso qualquer iniciação para exercitar. Pode-se fazer a qualquer momento ou em qualquer lugar.

Conforme exercitamos e vemos os resultados aparecendo, aos poucos isso vai fortalecendo, nos fazendo acreditar cada vez mais que é possível transpor os obstáculos da vida e superar as suas barreiras. Cada tipo de prática coincide num único ponto: acreditar no seu potencial!

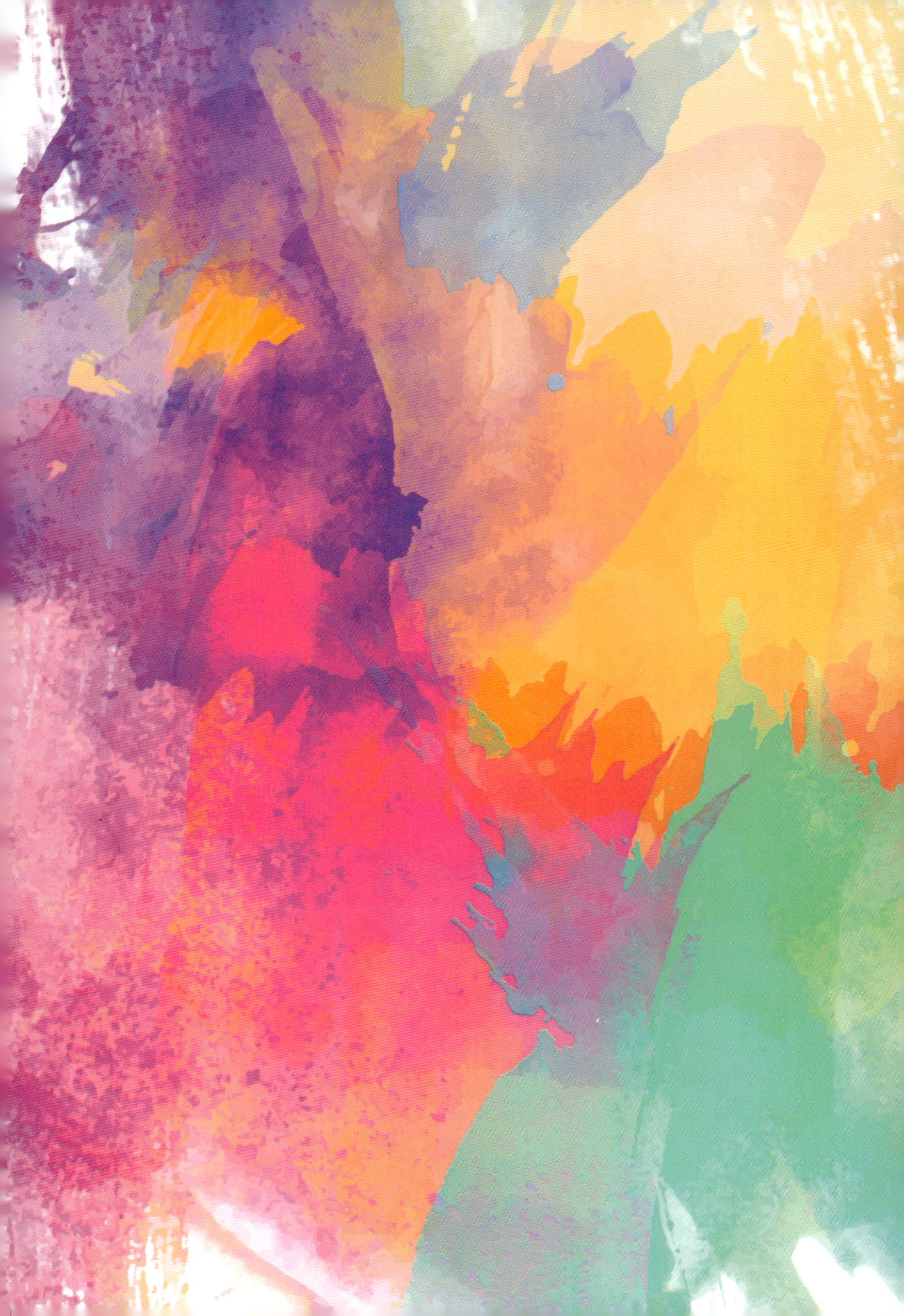

13
CONCLUSÃO

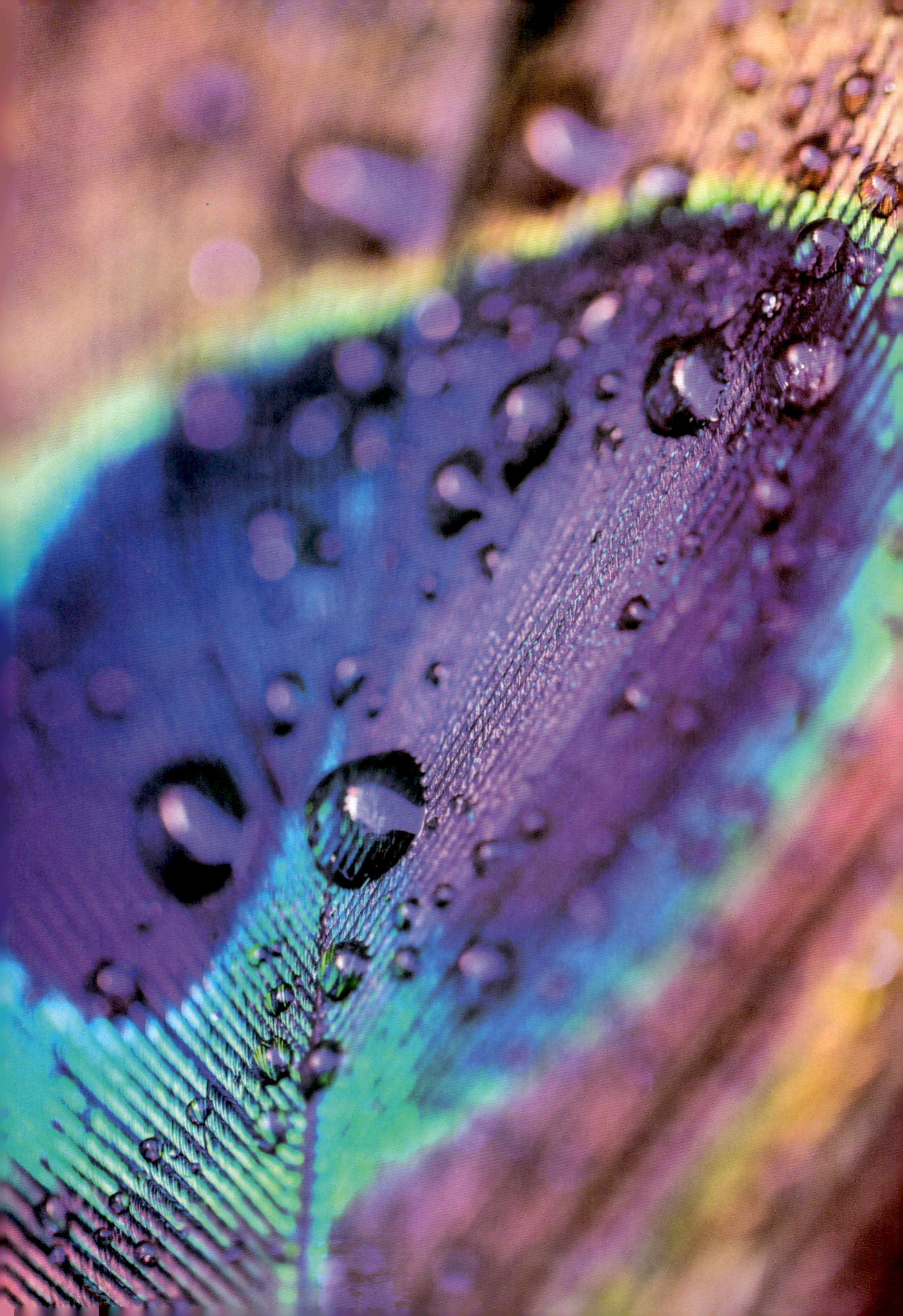

O objetivo deste livro é ajudar você, de alguma maneira, no entendimento desse Universo das cores, explorar a essência de cada uma delas por meio das práticas e, principalmente, entender que podemos nos tornar melhores a cada dia, usando algo simples, que está ao nosso alcance.

Todos buscamos, mesmo que de forma direta ou indireta, a nossa essência. De certa forma, queremos ser felizes e ter uma vida cada vez melhor, com mais amor, mais cor e mais prosperidade, além de mais luz e mais discernimento, sempre em direção ao crescimento. Baseado nisso, procuramos diversas ferramentas para chegarmos até lá, mas esbarramos em muitos desafios, que são, em sua grande maioria, internos. Nós somos a nossa própria barreira, e também a grande solução para vencer os obstáculos.

Vencer, de alguma forma, é a nossa meta aqui nesta vida. Entretanto, para vencer, precisamos nos conhecer, entender de onde vêm as nossas fraquezas, e ainda as nossas virtudes. A partir disso, as cores podem ser nossa grande aliada, ajudando a nos encontrar e nos aprofundar no autoconhecimento, avançando, assim, no autodesenvolvimento.

A força que tanto encontramos está no espiritual, pois somos espírito por essência. As cores irão nos ajudar a acessar esse interior, encorajando o nosso autoconhecimento. Quando entramos neste Universo, da nossa própria natureza, vemos que existem tantas coisas para ajustar, e uma vontade imensa de desistir de tudo, pois foi tanta coisa guardada que, só de lembrar, machuca. Porém, ao jogar luz em tudo, você vê que houve muitos equívocos, e isso dói, nos ancora no passado. A partir de agora, podemos fazer diferente, com mais consciência e discernimento, tomando posse do nosso verdadeiro poder e seguir adiante.

> "QUAL COR É O SEU COMBUSTÍVEL PARA VENCER? ESCOLHA UMA DELAS, NESTE MOMENTO, PARA QUE VOCÊ SAIA DESSA ZONA DE CONFORTO E PARTA PARA A AÇÃO. NÃO SE PREOCUPE COM COISAS SUPÉRFLUAS, POIS A "PRÉ-OCUPAÇÃO" VAI TIRÁ-LO DO FOCO DE ONDE VOCÊ QUER CHEGAR"
>
> Marcelo U. Syring

Mas há um detalhe: quando falo em jogar luz em tudo, quero dizer também que você deve jogar as cores para dentro de si, deixando com que elas tomem conta da sua vida. Permita que essas vibrações iluminadas curem suas feridas, suas ilusões, e o coloquem novamente no rumo, como se estivesse botando o trem novamente nos trilhos.

Não existe uma única verdade. Deixe fluir a sua verdade interna, e viva a vida! Viva através das cores, que são frequências universais, e simplesmente, seja você por completo. Você veio para ser feliz, para ser próspero, para ser a luz que clareia a sua vida e a das pessoas à sua volta.

> **Se você quer alegria, vá de amarelo.**
>
> **Se você quer se sentir amado, vá de rosa.**
>
> **Se você quer coragem para enfrentar os desafios mais difíceis, vá de laranja.**
>
> **Se precisar de autoconhecimento para curar-se de feridas internas, vá de índigo.**

Todas as cores são plataformas de cura, ou seja, todas têm a sua medicina para mostrar o que precisamos fazer para sair das sombras e ir em direção à luz.

As cores são um presente que Deus nos concebeu para dar a vida. Elas são os acordes universais que precisamos para mergulhar numa sintonia elevada e de perfeição.

Portanto, utilizar as cores e trabalhar com elas, nos ajuda a alcançar a nossa meta de vida, o nosso "caminho do meio". Elas fazem uma grande diferença, entre você ficar onde está e ir para a direção que a sua alma quer. Uma vez que eu me insiro na energia de determinada cor, eu alcanço meus atributos, me sentindo capaz de fazer tudo aquilo que preciso.

Ser feliz é uma opção, uma escolha. Escolher a felicidade, ao invés da tristeza, está em nossas mãos. Não podemos depositar nas cores a salvação dos problemas, se eu não tomar a posição de querer mudar minha vida. O pontapé inicial para começar a transformação vai partir de você. Faça da sua vida uma grande obra de arte, pois a sua felicidade está em **ser você mesmo**, na sua essência.

Vale a pena conhecer a nossa própria natureza interior, para cuidar do jardim que existe nele. Através deste jardim interior é que iremos atrair as abelhas, as borboletas, os pássaros, ou seja, tudo aquilo que vai completar o seu ser.

REFERÊNCIAS

BOWERS, Barbara. **Qual é a cor de sua aura? Descubra suas potencialidades materiais, emocionais, físicas e espirituais.** São Paulo: Saraiva, 1989.

CROMOTERAPIA. Disponível em: <http://www.cromoterapia.org.br/indexx.php?cont=resumo3>. Acesso em: 26 mar. 2013.

DEUTSCHE WELLE (DW). **"Teoria das Cores", de Goethe, completa 200 anos**. Cultura, 25 ago. 2010. Disponível em: http://www.dw.de/teoria-das-cores-de-goethe-completa-200-anos/a-5942436. Acesso em: 26 mar. 2013.

GOETHE, Johann Wolfgang von. **Doutrina das Cores**. Apresentação, seleção e tradução de Marco Giannotti. São Paulo: Nova Alexandria, 1993.

HELLER, Eva. **A Psicologia das Cores**. São Paulo: GG, 2007.

NAIFF, Nei. **Curso Completo de Terapia Holística & Complementar**. Rio de Janeiro: Nova Era, 2009.

NOTA POSITIVA. Disponível em: <http://www.notapositiva.com/trab_estudantes/trab_estudantes/fisico_quimica/fisico_quimica_trabalhos/raiosinfravermelhos>.htm. Acesso em: 19 ago. 2013.

RAIOS ULTRAVIOLETA. Disponível em: http://raios--ultravioleta.info. Acesso em: 19 ago. 2013.

VALCAPELLI. **Cromoterapia**: a cor e você. São Paulo: Roca, 1996.

_____. **As Cores e suas Funções**: na empresa, no lar, na roupa, na personalidade e na saúde. São Paulo: Roca, 2001.

WILLS, Pauline. **Manual de Cura pela Cor**. São Paulo: Pensamento, 2000.

RESGATE O SEU PRESENTE:

Aponte a câmera do seu celular para o QR Code a seguir e tenha acesso a um bônus preparado exclusivamente para você.

Transformação pessoal, crescimento contínuo, aprendizado com equilíbrio e consciência elevada. Essas palavras fazem sentido para você? Se você busca a sua evolução espiritual, acesse os nossos sites e redes sociais:

Leia Luz – o canal da Luz da Serra Editora no **YouTube**:

Luz da Serra Editora no **Instagram**:

Luz da Serra Editora no **Facebook**:

Conheça também nosso **Selo MAP – Mentes de Alta Performance**:

No **Instagram**:

No **Facebook**:

Conheça todos os nossos livros acessando nossa **loja virtual**:

Conheça os sites das outras empresas do Grupo Luz da Serra:

luzdaserra.com.br

iniciados.com.br

luzdaserra

Luz da Serra® EDITORA

Avenida Quinze de Novembro, 785 – Centro
Nova Petrópolis / RS – CEP 95150-000
Fone: (54) 3281-4399 / (54) 99113-7657
E-mail: loja@luzdaserra.com.br